Elena Iglesias

Cuenta el Caracol...

P.O. Box 450353 (Shenandoah Station)
Miami, Florida 33245-0353, U.S.A.

Primera edición, 1995

EDICIONES UNIVERSAL
P.O. Box 450353 (Shenandoah Station)
Miami, FL, 33245-0353. USA
Tel: (305)642-3234   Fax: (305)642-7978

Library of Congress Catalog Card No.: 95-78694

I.S.B.N.: 0-89729-785-7

Portada: "Oración al Niño de Atocha" de Zaida del Río. Del libro *Herencia Clásica*. La Habana, 1990. Reproducido con permiso de la pintora.

A todas las comisiones espirituales.
A Eleguá, el primero de los dioses.
A Oyá, nueve años después, cumpliendo su
profecía.

Prólogo

Los yorubas del noroeste nigeriano, como muchos otros pueblos de Africa, poseen un rico repertorio de literatura oral relacionado con sus creencias religiosas y, particularmente, con los ritos adivinatorios. Los yorubas llegaron a Cuba a través de la trata de esclavos y su religión, centrada en la veneración a Olodumare, Olorun u Olofi (Dios) y la adoración a los orichas -intermediarios divinos- vino con ellos a Cuba, donde se acriollizó y obtuvo gran arraigo popular. Hoy en día la *santería* afrocubana se practica no solamente en la Isla, sino en muchos otros lugares del globo, tales como los Estados Unidos, Puerto Rico, España, México y Venezuela.

Los mitos y leyendas asociados con el oráculo de los caracoles (*Dilogún*) y con el sistema adivinatorio de *Ifá* son conocidos en Cuba con el nombre colectivo de *patakís, patakíes* o *appatakís* y son numerosísimos. Los fieles los transmitieron de generación en generación, al principio por vía oral y, más adelante, a través de *libretas* escritas y celosamente guardadas por los mismos santeros.

En 1980, el africanista William Bascom publicó su monumental *Sixteen Cowries. Yoruba Divination from Africa to the New World* (Bloomington: Indiana University Press), en el que recopila los "versos" o historias asociados con el oráculo de los dieciséis caracoles entre los yorubas de Nigeria. Para ello empleó como informante a Salakọ, un adivinador iniciado en el culto de *Olufọn*, avatar de Obatalá. Muchos de estos mitos no se encuentran en la

7

tradición afrocubana, aunque la cosmovisión religiosa y mágica que los anima permanece intacta en la Isla y aflora allí también en innumerables relatos. (Un estudio comparativo del acervo mitológico de Cuba y Nigeria está aún por realizarse).

En este libro, Elena Iglesias escoge algunos de los *patakíes* africanos y los incorpora al *corpus* insular. Pero no ha efectuado una tarea de simple selección y traducción. Preservando intactos el espíritu y la anécdota, Elena los re-cuenta, los aclara y, en ocasiones, ejecuta una inteligente y eficaz tarea de "cubanización". Por ejemplo, el *patakí* titulado "Ogundá hace justicia", comienza con Eleguá interrogando a Obatalá muy criollamente: "Cuando una cosa piensa el borracho y otra el bodeguero, ¿cómo se resuelve la pregunta?" En otro, Yemayá se convierte en río "por meterse en lo que no le importa". Y en un tercero ("Cosas de mujeres") la historia de la seductora e indecisa *Coco-Yam* (Raíz de Ñame), amada por cuatro hombres a la vez, arranca con una animada conversación entre Yemayá y Obatalá, ausente en el original, en la que éste, sabio como siempre, reflexiona: "Estar enamorado del amor es una enfermedad peligrosa, sólo se cura con la experiencia y el conocimiento de sí mismo". A lo que Yemayá, práctica como de costumbre, riposta: "Y encoméndándose a Ochún, que sabe lo que nadie en asuntos de amor". La trama que sigue es una fiel traducción del mito yoruba, pero la breve introducción añadida por la autora, sirve de marco tanto a la historia como a la lección que ella encierra.

Pero no debo anticipar nada más. Sólo me queda invitar al lector a adentrarse por los vericuetos de un mundo encantado, poblado por dioses y espíritus, animales tontos e inteligentes, Rodillas que adivinan, Cinturas y Cuellos que solicitan mercedes, Ceibas casadas --¡y divorciadas!-- de Descampados, Lirios que se consultan con Eleguá… Según afirman Changó y el Caracol: "para saber mucho de algo hay que dedicarle tiempo y amor; después, la recompensa vendrá sola". Los invito, pues, a acercarse a lo que cuenta este Caracol con un poco de tiempo y algo de amor. El premio, ya lo verán, vendrá solo y será abundante.

ISABEL CASTELLANOS

9

INTRODUCCIÓN

L os orichas, dioses de la religión yoruba, sincretizada en Cuba como santería, personifican la observación profunda y precisa de la naturaleza humana. Son grandes conocedores de sus puntos fuertes y débiles, y como tales, son representaciones simbólicas de nuestra fragilidad, pero también de los triunfos humanos sobre sus limitaciones.

Al unir diferentes niveles de experiencia y mostrar sus complementarios, esta cosmovisión africana equilibra lo que está desbalanceado. Los dioses sugieren teorías sobre la forma en que funciona el mundo, recogidas en patakís (fábulas o parábolas), donde las fuerzas positivas y negativas -polos de un mismo poder- están en constante interrelación. Los orichas hablan por signos (que son 16), a traves del caracol o del tablero de Ifá, para aconsejar, advertir o enseñar a los hombres.

Del pozo casi infinito de la tradición oral yoruba, tanto en Africa como en América, he escogido sacar este libro, donde recreo libremente un grupo de patakís nigerianos, compilado originalmente por el antropólogo William Bascom en su obra *Sixteen Cowries, Yoruba Divination from Africa to the New World*, editada en 1980 por Indiana University Press. Encontrarán los patakís

11

ordenados según los primeros 14 signos, con su nombre y número correspondientes.

La magia va hilando los temas, que reflexionan sobre los pros y los contras de la generosidad; la aceptación del dolor como medio de transformación; el valor de la discreción en la vida diaria; la fe, la duda y el olvido de los dioses; el triunfo sobre el miedo; la justicia como fin deseado; la necesidad de paciencia y humildad para lograr las metas; las muchas caras del amor, la amistad y la inocencia; las consecuencias de la envidia, la desobediencia, la ingratitud y el alarde; el peligro del abuso, la mezquindad, la traición y la soberbia; el papel de la astucia, el juicio recto y el sentido común; y los estrechos caminos de la sabiduría.

Este libro es mi homenaje a un rico sentido de la vida, de fe sencilla y magia poderosa, que por lo general se desconoce o se descalifica injustamente. Es hora que la palabra de los orichas, limpia y sabia, pase a formar parte de las tradiciones más nobles del espíritu humano.

ELENA IGLESIAS

*P*ara que haya bueno, tiene que haber malo

OCANA (1)

La Importancia de la Ofrenda

Cuando Obatalá iba a conquistar tierra en Ijere, le ofreció a los orichas dinero, un paño blanco, 11 babosas y plumas, para que lo protegieran en la difícil empresa que iba a acometer.

Obatalá, que había nacido para ser cabeza, supo emplear la suya, y conquistó el mundo. Se cubrió de gloria y no hubo nadie más importante que él. Todos lo servían.

-Conociste lo malo y ahora conocerás lo bueno, le dijo Olodumare, Dios.

Dice el caracol que ofrecer sacrificios ayuda; no ofrecerlos no ayuda a nadie.

Quiere saber mucho y se engaña a sí mismo

EYIOKO (2)

EL EXTRANJERO GENEROSO

U no de los Ibeyis, hijos de la suerte, recordando un cuento que les había hecho Yemaya, le decía a su hermano gemelo...

-La bondad no queda sin premio y la maldad se paga.

-Depende, respondió el hermano. -Hacer el bien con malas intenciones hace que ese bien no reciba recompensa.

-Es cierto, reflexionó el primer melli, -pero hay gente verdaderamente generosa. Acuérdate de lo que nos contó Yemaya sobre Aganna, el extranjero que se fue a vivir a Oko...

Cuando llegó al pueblo, hizo una finca a la vera del camino, y a cualquier persona que pasaba por allí, le ofrecía maiz o ñame. Todo lo que ganaba lo regalaba, y si alguien necesitaba dinero, Aganna se lo daba.

Sólo los ancianos recibían títulos en el principio del mundo, pero cuando el jefe de Oko murió y se preguntaron en el pueblo quién podría sustituirlo, pensaron en Aganna. Las mujeres dijeron que debían hacerle rey.

Cuenta el caracol que su bondad hizo que llegara a ser jefe de Oko, y por su generosidad logró vivir para siempre.

El Ejemplo de la Chiva

C uenta Eleguá que uno de los Ibeyis, portadores de la fortuna, notó que su hermano estaba muy triste. Cuando se acercó a consolarlo, vio dentro de sus ojos una gran serenidad...

-Veo que has aceptado tu dolor, le dijo.

-Estaba sufriendo mucho, pero me encontré con la Chiva, cuando regresaba de consultar a los orichas por la misma causa, y ellos le dijeron que no evitara el sufrimiento; que detrás del dolor viene la dulzura, que la acompañaría hasta el final de su vida.

La Chiva se rogó la cabeza y ofreció dinero, plumas, comida y bebida a los dioses. Dice el caracol que cuando terminó su ofrenda, su vida se volvió agradable y el sufrimiento no pudo alcanzarla nunca más.

LA ARDILLA CHISMOSA

Dice Eleguá, señor de los trucos, que la lengua del hablador mata al hablador y la del chismoso mata al chismoso...

-Los orichas dicen que debemos vigilar a un amigo para que no nos destruya, comentaban los Ibeyis en voz baja. -Y también a nuestra pareja, para que no revele el número de nuestros hijos y haga posible que el mal los alcance...

Como le pasó a la Ardilla, que tuvo 6 hijos, y en ausencia de su esposo se pasaba el tiempo jactándose de haber tenido una cría tan numerosa.

El rumor llegó a oídos de los campesinos, que salieron en busca de la Ardilla habladora, y cuando descubrieron a sus hijos, los mataron para comérselos.

Dice el caracol que uno no debe hablar sus cosas, para evitar hacerse daño a sí mismo delante de la gente.

LA FE DEL CIEGO

C uenta Eleguá, el que tienta a los hombres, que en el principio del mundo, un Ciego le había enseñado el poder de la fe, cuando todos se burlaban de él...

El Ciego dijo que cazaría a la cacatúa azul y también a la roja. Juró que le daría al antílope en su franja y al loro en su cola de plumas encendidas.

Para lograrlo, le ofreció a Ochosi, plumas, un arco y una flecha.

Ninguno de los que podían ver pudo cazar a las cacatúas, ni al loro, ni al antílope.

Ochosi invistió al Ciego de poderes mágicos. Cuando le tocó su turno, sus flechas hirieron a una cacatúa en su mancha roja y a la otra en su mancha azul, atravesaron la cola del loro y la franja del veloz antílope.

El rey llamó al Ciego y lo hizo rico. Dice el caracol que desde entonces, cuidó y cultivó el poder que había recibido.

No hay día tan lejano que nunca llegue. Hoy es aquel día tan distante, tan perdido en el deseo. Hoy el amo le permite al esclavo compartir su sal. Y convertirse en rey.

OGUNDÁ *(3)*

COCODRILO VENCE AL MIEDO

Una vez Ogún y Ochosi discutían sobre cuál era el enemigo mayor que podía tener un hombre...
-El que se atreve a desafiarme para quitarme mis posesiones, dijo Ogún.

-No hermano, le contestó Ochosi, -el que logra arrebatarte la libertad, esclavizándote.

En eso se acercó Obatalá, que hacía rato los estaba oyendo discutir. -El peor enemigo de un hombre, les dijo, -es su propio miedo. El día en que se da cuenta, los orichas empiezan a darle fuerzas para que pueda superarlo...

Como a Cocodrilo, cuando iba a convertirse en jefe de las aguas profundas.

Todos los peces y las ranas asustaban a Cocodrilo, que para conquistar su miedo ofreció dinero, animales, caracoles, cocos y tres dientes de hierro.

Eleguá le dijo entonces: -¡Abre la boca! Y le colocó los dientes de hierro, ordenándole: -¡Acuéstate! Cogió después las cortezas del coco, se las puso en la espalda y las llenó de poder.

Los peces no volvieron a dominar a Cocodrilo. Ni las ranas. Nadie se le pudo enfrentar jamás. Cocodrilo se convirtió en rey, hijo del dueño de las aguas profundas. ¿Y quién puede quitarle la casa de su padre a un niño?

La pantera galopa por el campo, el gato montés escala la montaña. Eleguá nos ayuda a conquistar al enemigo, dice el caracol.

OGUNDÁ HACE JUSTICIA

E leguá le preguntó un día a Obatalá: -Cuando una cosa piensa el borracho y otra el bodeguero, ¿cómo se resuelve la disputa?

-En un tribunal, contestó el creador de los hombres. -Cada quien da su versión de los hechos y presenta sus pruebas. Después, el juez decide.

-Entonces, si alguien rompe un plato, ¿no hay chance que otro sea quien lo pague?, insistió Eleguá.

-No, tarde o temprano recibe su merecido o sale absuelto por falta de evidencia, le contestó Babá.

Pero no siempre fue así. Ogundá, el hijo del rey de Oyo, cambió las cosas en el principio del mundo...

Iroso era el primogénito del rey. Ogundá lo seguía. Si ellos afirmaban que alguien había hecho algo malo, el rey mandaba cortarle la cabeza. No preguntaba si realmente la persona era culpable.

Ogundá llevaba mucho tiempo pensando en eso, hasta que no pudo más y le preguntó a su hermano: -Si una persona no ha hecho nada malo, ¿deben ejecutarla? Y se dio cuenta que a Iroso también le preocupaba el comportamiento del rey.

Una vez, Iroso tomó tanta cerveza que se emborrachó y se quedó dormido. Ogundá mató al carnero predilecto de su padre, lo arrastró hasta la casa de Iroso, y le manchó la boca con la sangre del animal mientras dormía.

Al otro día, el celador del carnero no pudo encontrarlo y así se lo comunicó al rey.

-¡Quiero ver la cabeza de quien se llevó el carnero en el templo de Ogún!, tronó el soberano. Y ofreció un sacrificio para aplacar a los dioses.

Ogundá también hizo su ofrenda.

Buscaron y buscaron al animal hasta que lo encontraron en la casa de Iroso. La noticia corrió como pólvora. ¿Qué significaba aquello?

Se llevaron a Iroso para el templo de Ogún. Todo estaba listo para su ejecución.

Iroso empezó a rezar.

Ogundá sacó su espada y le cortó la cabeza al verdugo que iba a ejecutar a Iroso. La noticia voló.

Entonces le pidió a su padre que fuera hasta el templo y reuniera allí a los ancianos del pueblo.

Los siete consejeros del rey de Oyo le preguntaron a Ogundá por qué había actuado así.

-Si alguien dice que una persona ha hecho algo malo, se debe averiguar si realmente lo hizo o no. Hay muchos inocentes que han sido castigados con la muerte, respondió el hijo del rey.

-Yo fui quien mató al carnero, confesó Ogundá. -Sin embargo, era a Iroso a quien iban a ejecutar. Quien me quiera matar, debe hacerlo ahora. Yo soy el culpable.

Y volviéndose a su hermano le dijo: -Las injusticias que habíamos visto y de las que tanto hablábamos me impulsaron a llevar el carnero a tu casa. Si te hubieran matado, hubieran ajusticiado a un inocente. Yo lo maté y estoy esperando que se cumpla la sentencia.

Soltaron a Iroso. Sus acusadores se marcharon. Iroso no murió, ni Ogunda tampoco.

Cuenta el caracol que ese día comenzaron los juicios en el mundo.

LA PRUEBA DEL REY

Dice el caracol que los tontos terminan las discusiones repitiendo 20 o 30 veces "esto no me gusta, no lo acepto".

El rey de Igede compró a la reina de Benin como esclava. Eleguá, el que prueba a los hombres, le dijo que para que todo fuese bien entre ellos, le ofreciera a Ogún dinero, una jutia, 3 palomas y un cuchillo. Luego le devolvió una de las palomas para que la soltara en el monte.

El rey de Igede hizo lo que le habían indicado, pero las cosas no le fueron bien con la reina de Benin. La muchacha se rebelaba contra él y lo despreciaba en la estera.

Un día, en el colmo de la desesperación, el rey se fue al monte y preparó una cuerda en la rama de un árbol para ahorcarse. Pero cuando se colocó la soga alrededor del cuello, la paloma que él había liberado en el monte, se interpuso, y moviendo sus alas, no le permitió matarse.

Ogún tomó el cuchillo que el rey había sacrificado y cortó la cuerda. -¿Qué te pasa, rey de Igede? Esta paloma, parte de tu ofrenda, te está rogando con sus alas que no te mates, ¿y no quieres hacerle caso? ¡Qué corazón tan duro tienes! Anda, vete a casa y nunca dudes de los orichas.

Cuando el rey llego a su casa, se encontró a la reina de Benin dispuesta a amarlo, y poco después quedó embarazada.

Rey de Igede, no te mates; rey de Igede, no te ahorques; rey de Igede ten paciencia... repite el caracol.

LA PACIENCIA DE ORULA

Dice Obatalá, el dios de la paz, que la rabia no le resuelve nada a nadie; en cambio la paciencia es la madre del buen carácter. El hombre paciente disfruta de larga vida.

El sabio Orula-Ifá iba a casarse con la hija del jefe de Iwo. Su hermano Eleguá le dijo que tenía que tener paciencia, porque la mujer era difícil e iba a causarle problemas al principio, pero que el final sería dulce.

Después del matrimonio, Orula era el que barría la casa, arreglaba la estera y cocinaba. Si le pedía a su esposa que hiciera la comida alguna vez, la hija del jefe de Iwo le echaba basura en el plato.

Un día le dijo que le preparara tintura de añil, y la rebelde mujer le rompió su tablero de Ifá para convertirlo en leña con qué hacer el tinte.

Todo lo que hacía la hija del jefe de Iwo, Orula lo soportaba sin perder la calma. Le había ofrecido a Obatalá un sacrificio de atole de maicena, hojas de todos los árboles y manteca de cacao para que lo hiciera paciente.

Pasó el tiempo, y un día, la esposa desconsiderada decidió abrirle su corazón a Orula. -He hecho todo lo que puede causar un divorcio y tú lo has aceptado. No te molestaste ni una vez. Lo soportaste pacientemente. Nunca te dejaré, seré la madre de tus hijos.

Cuenta el caracol que desde ese momento, la hija del jefe de Iwo complació a Ifá-Orula en todo lo que estaba a su alcance.

LA HERENCIA DE LOS TRES REYES

Dice el caracol que el tronco rueda y rueda para alcanzar el camino...

Ogún, dios del progreso, le contó a su hermano Ochosi como una vez Eleguá probó a los tres hijos de una misma madre que eran también hijos de reyes. Y como el que tuvo paciencia, heredó la riqueza de los otros dos.

La agresividad era la característica del hijo del rey de Ara; la terquedad, la del hijo del rey de Ijero; y la serenidad distinguía al hijo del rey Orangun Aga.

La madre de estos niños tuvo que irse a vivir a una finca lejana, donde permaneció durante 13 años. Allá fue a visitarla Eleguá, el que otorga las recompensas.

-Tus hijos ya han recibido los títulos de sus padres, le dijo el adivino.

Y la madre ausente, feliz con la noticia, preparó 3 cestas de regalo para sus nuevos reyes y se las mandó con Eleguá. Llenó cada una de cuentas, que eran símbolo de riqueza en el principio del mundo, y las cubrió con sobras de ñame para protegerlas.

Eleguá se aprestó a visitar al agresivo rey de Ara.
-Tu madre te manda algo, le dijo.

-¿Viste a mi madre? ¿Cómo está? ¿Dónde está?, le preguntó.

-Está bien, vive en una finca lejana y te envía esta cesta de regalo por tu nuevo trono, fue la respuesta.

Cuando el agresivo rey vio la cesta cubierta de sobras de ñame, ardió en colera. -¡Mi madre me ha deshonrado! ¿Cómo se le ocurre mandarle esto a un rey?... Y se suicidó, clavándose un puñal en el estómago.

Eleguá recogió las 3 cestas y se fue con ellas a casa del terco rey de Ijero, que reaccionó igual que su hermano mayor con el presente.

Por último, el tentador de los hombres se fue a ver al sereno príncipe, hijo del rey Orangun Aga, llevándole el encargo de su madre.

-¡Tanto tiempo que hace que mi madre se fue y no me ha olvidado!, exclamó agradecido el príncipe. -Se acordó de compartir conmigo un poco de su comida. Diciendo esto, metió la mano en la cesta y... ¡encontró las cuentas!

Las otras dos canastas, repletas de abalorios, también fueron suyas. Y cuenta el caracol que el príncipe sereno, quien acababa de heredar a su padre, se volvió muy rico con la fortuna que le había enviado su sabia madre.

RESPETO A LOS TABÚS

Cuenta el caracol como, por meterse en lo que no le importaba, Yemayá se convirtió en río, cuando era la esposa de Okere.

Okere tenía los dientes botados y los senos de Yemayá eran tan grandes que tocaban el piso.

-Nunca debes ridiculizar mis dientes, le dijo Okere, y ella le advirtió que tampoco él hablaría de sus senos. Y así se entendieron durante mucho tiempo.

Un día, Okere estaba secando sus flechas al sol, cuando empezó a llover. Yemayá pensó que se podían echar a perder y las quiso entrar al cuarto de las flechas. Pero la entrada a esa habitación estaba prohibida a las mujeres.

Yemayá se vendó los ojos y las manos para ni ver ni tocar las flechas. Y se llevó el carcaj para el cuarto.

Cuando salía de la habitación, vio que llegaba Okere corriendo bajo la lluvia a recoger sus flechas. -¿Quién se llevó mis flechas?, pregunto jadeante.

-Yo me vendé los ojos y las entré al cuarto, dijo Yemayá.

-¡Miren todos sus senos caídos!, grito Okere ofendido.

-¡Miren todos sus dientes botados!, contestó ella molesta y salió corriendo. Pero se cayó al suelo y se convirtió en el Río Ogún. La esposa de Okere es el Río Ogún.

Y el mismo día, su esposa menor se convirtió en el Río Ofiki, por defender a Yemayá.

Se deben respetar los tabús de cada cual, recuerda el caracol.

Nadie sabe lo que hay en el fondo del mar

IROSO (4)

Cosas de Mujeres

Cuenta Olocun, dueña de los secretos, que una mujer indecisa no se quedará con quien más la desee, sino con quien más la quiera y le brinde estabilidad.

-Nadie sabe lo que guarda un corazón de mujer, le decía Yemayá a Obatalá, una noche que paseaban por un sembrado de ñames, más allá de la imponente ceiba. -Cuando cree amar a uno, ama en realidad a otro, o no ama a ninguno.

-Estar enamorado del amor es una enfermedad peligrosa, pensó Obatalá en voz alta. -Sólo se cura con la experiencia y el conocimiento de sí mismo.

-Y encomendándose a Ochún, que sabe lo que nadie sabe en asuntos de amor, le recordó Yemayá. -Ella fue quien le aclaró los sentimientos a Raíz de Ñame cuando se debatía entre 4 amores...

-En lugar de casarme con Fuego, me casaré con Lluvia, se decía Raíz de Ñame, caminando de un lado a otro sin consuelo. -Pero... no lo haré.

-No me casaré con Lluvia, pero antes de casarme con Sol, me casaría con Lluvia. Pero... no lo haré. Ni me casaré tampoco con Fuego.

El rojo Fuego y el rojo Sol estaban enamorados de la indecisa Raíz de Ñame. La insistente Lluvia y el humilde Lodo también la amaban.

43

Fuego y Sol oyeron que ella se iba a decidir por Lodo. Lluvia también se enteró.

Fuego y Sol empezaron a perseguirla. Y llegó la Lluvia. Se enfrentó al Sol y lo venció. Peleó con Fuego y lo mató. Pero cuando fue en busca de Raíz de Ñame, ella se había ido ya con Lodo... Cuenta el caracol que finalmente se sembró a su lado y no volvió a moverse de allí.

DESPRENDIMIENTO ELEGANTE

Dice Olocun, diosa de lo profundo, que la entrega total es el signo de los que aman mucho, y precisamente porque lo dan todo, no quedan sin recompensa.

Como Elegante, el cazador que le ofrecía todas sus presas a Obatala, el mayor de los dioses. Nunca se quedaba con nada para él.

Los amigos de Elegante formaron una sociedad y decidieron hacerse trajes nuevos para celebrar su festival anual.

El cazador fue a ver a Obatalá y le dijo que no tenía dinero para hacerse un traje. Babá le contestó que no se preocupara, que él se lo iba a proporcionar.

Cuando llegó el gran día, todos estrenaron sus ropajes blancos, muchos de seda pura. Y Obatalá vistió a su fiel amigo con un traje recamado en pedrería, brillante como el sol.

Cuando Elegante se presentó ante su gente, se postraron frente a él, confundiéndolo con Obatalá. Sobrepasaba en esplendor a todos.

Cuenta el caracol que a Elegante le dicen Ochosi, el cazador.

Changó y el Leopardo

Cuenta Olocun que a veces se recibe ayuda de quien menos se espera. -Hasta de un desconocido puede venir la salvación, dice el mar insondable.

Como pasó con Changó, dueño de los tambores, cuando invirtió un mortero en Enpe para cazar a un leopardo que estaba matando a los hijos del pueblo.

El jefe de Enpe se fue a consultar con Eleguá. -Un extranjero vendrá, le dijo el adivino. -Cuando llegue, trátalo bien. El es quien te ayudará a conquistar lo que te está causando problemas.

El jefe de Enpe ofreció un sacrificio. Changó vino y se comió la ofrenda que le habían puesto al que estaba por llegar.

-¿Qué te pasa?, le preguntó al jefe de la ciudad.

-Un leopardo está matando a nuestros hijos, contestó el cacique, aplastado bajo el peso de la responsabilidad.

-¿Un leopardo? ¿Por qué camino llega? ¿Hay árboles por allí?

Le enseñaron el camino y los árboles. Changó se puso un mortero sobre la cabeza y subió a uno de los árboles. Cuando llegó el leopardo, lo atrapó con el mortero.

La noticia voló. -Lo mató, decían. -Invirtió el mortero y mató al leopardo.

Si Changó, el loco de Ijebu, no hubiera estado en Enpe, hoy la ciudad estaría desierta.

El fuego de la cabeza no quema la ropa. El lodo no hace flotar un bote, dice el caracol.

EL OCASO DE LA VIDA

Cuenta el caracol que Eleguá, dueño de los caminos, le aconsejaba siempre a su hermano Ogún... -No vivas la vida apurado. No esperes recibir un título con impaciencia. Hay otra vida después, tan dulce como la miel. Recuerda a la vendedora de atole de Idere, que tuvo riquezas en el ocaso de su vida.

Los adivinos le dijeron que debía ofrecerle a su cabeza comida y bebida, además de un pilón. Y su riqueza llegó a ser incalculable.

El maíz, que peinaba canas, y el sorgo, con su blanca barba, fueron los adivinos de la vendedora de atole de Idere, que, según el caracol, por su paciencia llegó a ser rica y a recibir honores en el ocaso de su vida.

Espejismo Mágico

Cuenta Olocun, desde el fondo del mar, que el mago se mueve elegantemente como si quisiera bailar contigo, pero no baila. Abre la boca de pronto como si quisiera comerte, pero no te come. Y cuando susurra, recita encantamientos.

Para obtener poderes mágicos, Obatalá, padre de los dioses, ofreció 80 pimientas de Guinea, dinero, plumas y cuatro trajes blancos.

Cuando terminó el sacrificio, todo lo que hacía se completaba el mismo día. Su poder era indescriptible. Todo lo que ordenaba se cumplía inmediatamente.

Dice el caracol que gracias a la magia, se hizo rico y logró tener muchos hijos.

EL EXTRANJERO RECHONCHO

Dice Olocun, la estabilidad, que hay recodos del camino donde nos encontramos con un guía, que viene de muy lejos a alumbrarnos la vida...

Como el Extranjero Rechoncho, cuando se preparaba a partir hacia otras tierras. Eleguá, el mensajero de los dioses, le dijo que debía ofrecer un sacrificio de dinero, plumas, una jutía y cualquier manto que viera, para que su viaje llegara a feliz término.

Después de ofrecer el sacrificio, sólo le quedaron andrajos. Se puso en marcha y llegó a las puertas de la ciudad de Peri, que no era feliz. Sus habitantes se preguntaban: ¿Quién podrá enderezar nuestras vidas?

Eleguá le había dicho al jefe de Peri que un extranjero iba a componer la vida de su pueblo.

Extranjero Rechoncho se quedó sentado a la entrada de la ciudad, bajo una ceiba. Cuando las mujeres pasaban por su lado, les decía: -Salud, ¡que puedan concebir hijos! Y efectivamente, concebían.

Si la enfemedad estaba afligiendo a alguien, y esa persona llegaba hasta él, le decía: -¡Que te alivies pronto! Y la persona se curaba.

Las mujeres que parían hijos que morían al nacer, no volvieron a sufrir esa desgracia.

La gente del pueblo fue a avisarle al jefe que había un forastero en las puertas de la ciudad que no quería entrar, pero que debía entrar.

Entonces fueron a preguntarle al Extranjero Rechoncho dónde quería quedarse y él contestó que al pie del árbol donde estaba sentado. -Lo que necesiten de mí, deben venir a buscarlo aquí.

Todos obedecieron.

Pero llegó un día en que los habitantes quisieron llevarlo a la ciudad. El Extranjero Rechoncho les dijo que le hicieran un manto. Le entregaron el manto y una malla. El se los puso, y salió rumbo a la ciudad, rodeado por la muchedumbre que tocaba los tambores en su honor. Le llamaban de muchas maneras y bailaban para agasajarlo en el palacio del jefe de Peri.

El Extranjero Rechoncho es aquel a quien llamamos Egun, el muerto.

Ningún cintillo es tan fino como uno rojo brillante. Ningún monte es tan grande como el Monte Gbadi, con su puntiaguda cima. Ningún camino es tan bueno como el camino a compartir, dice el caracol.

Soltero y Prostituta

Dice Olocun, la abundancia, que matrimonio y mortaja del cielo bajan. La gente debe tener paciencia y dejar sus cuitas de amor en manos de los orichas, que saben realmente quién le conviene a cada cual, como en la historia de Prostituta y Soltero...

Prostituta lloraba porque no tenía marido y Soltero sufría porque no tenía mujer.

Eleguá les dijo -separadamente- que debían hacer un sacrificio para lograr su deseo, y cada cual ofreció dinero por su cuenta.

Cuando terminó su ofrecimiento, Soltero se fue para la finca, y minutos después, Prostituta llevaba su sacrificio por el camino que conduce a la finca, hasta un lugar junto al río. Soltero nadaba en el río cuando Prostituta llegó con su ofrenda.

-Por favor, Ochún, permíteme conseguir marido, pedía.

Soltero no pudo seguir bañándose. -¿Qué estás diciendo mujer?

-Traigo un sacrificio para poder encontrar marido, contestó Prostituta.

-¿No tienes marido? -No, le respondió ella, mirándolo extrañada.

-Entonces, ¿puedes venir conmigo a mi casa?

Como en un juego, como si fuera broma, Soltero se acostó con Prostituta, y ella quedó embarazada. Se casaron y empezaron a tener hijos. Los dos consiguieron la familia que tanto deseaban.

El camino estrecho lleva a la finca y el camino recto conduce al río, dice el caracol. No está lejano el día en que Iroso hará realidad tu sueño.

MONO TONTO Y LEOPARDO

Dice Obatalá, señor de la prudencia, que al hacer el bien hay que mirar muy bien a quién, para que no vaya a salir el tiro por la culata...

-La bondad es enemiga de mi raza, le dijo el astuto Eleguá a Mono Tonto, el día en que sacó al Leopardo del hoyo.

Mono Tonto ofreció dinero, el traje que llevaba puesto y plumas, para que su bondad no le causara problemas.

Al poco tiempo de haber ofrecido el sacrificio, vio al Leopardo dentro de un hoyo: -Hijo de rey, ¿qué hiciste para caer allí?, le preguntó.

-Simplemente me caí en el hoyo, le contestó el Leopardo molesto.

-Si pudiera te sacaría de allí, le dijo Mono Tonto con lástima.

Y Leopardo le respondió que muy bien podía hacerlo.

-¿Qué debo hacer para sacarte?

-Bájame tu cola, pidió Leopardo.

-¡Ja!, dijo el mono, -a lo mejor nunca me sueltas la cola.

-¿Qué? Piensas que si me sacas de aquí no te dejaré ir? ¿Qué haría contigo?

-No sé, te tengo miedo, le confesó el mono... pero bajó su cola y sacó al Leopardo del hoyo.

Leopardo, entonces, lo agarró por la cintura y no lo soltaba.

-Esto era lo que me temía, dijo Mono Tonto.

-Es que no me siento bien, todavía estoy mareado. Espérate a que me sienta un poco mejor, se justificaba el Leopardo.

En ese momento llegó Eleguá, que preguntó lo que pasaba. Mono Tonto le dio su versión de la historia y Leopardo la suya.

Eleguá le dijo al mono: -Aplaude conmigo tres veces, y Mono Tonto obedeció.

Después se dirigió al Leopardo y le dijo que también aplaudiera con él tres veces. Pero el avieso felino le pregunto: -¿Y dónde pongo lo que tengo entre mis manos?

-Póntelo bajo el brazo, sugirió Eleguá. Y el Leopardo se puso a Mono Tonto bajo el brazo.

Aplaudieron la primera vez, aplaudieron la segunda vez, y cuando iban a aplaudir la tercera vez, el mono saltó a un árbol cercano y escapó.

Dice el caracol que los orichas no permiten que la bondad le cause problemas a una persona ingenua.

EL ROBO DEL MANÍ

Cuenta Olocun, guardiana de los misterios, que todo lo oculto un día sale a relucir...
Como en el caso de Lepe, que estaba vendiendo manís robados. Fue a la finca de otro hombre, tomó los manís, los vendió y se hizo rico.

-No encuentro mis manís, alguien se los está robando. ¿Qué debo hacer para saber quién es el ladron?, le preguntó el dueño de la finca a Eleguá.

El que todo lo sabe le dijo que ofreciera dinero y plumas a los orichas para averiguarlo.

Cuando regresó a su finca, Lepe se estaba llevando un cargamento de maní. -¡Así que eres tú quien me está robando!, exclamó el campesino. ¡Te agarré infraganti!

Dice el caracol que cuando alguien quiera robarte, Olodumare, Dios, te ayudará a atrapar al ladrón.

La Mañana y la Noche

Dice Olocun, el mar profundo, que las apariencias engañan. No debemos ensoberbecernos por lo que somos y tenemos, porque la vida da muchas vueltas y pueden llegar tiempos difíciles.

Eleguá, el bromista, le dijo a la Mañana que debía hacer una ofrenda a los orichas antes de irse a vivir a la tierra, pero la Mañana no le hizo caso. -¿Para qué necesito hacer un sacrificio si me sobran las bendiciones?, contestó con altanería.

Sin embargo, la Noche ofreció dinero, plumas y ropa para que su destino fuera agradable.

Tan pronto como llegaron a la tierra y amaneció, las gentes salieron a buscar dinero y vestidos, y se los llevaron para su casa en la Noche. Todos se acostumbraron a decir: "Esperemos a que caiga la Noche para disfrutar".

La Noche cosechó todos los frutos de la Mañana, que trabajaba para servirla.

-¡Que Olodumare, Dios, te conceda una buena Noche!, se desea la gente cuando ora, desde los primeros días del mundo.

Cuenta el caracol que la Noche resultó buena y los orichas la colmaron de bendiciones en la tierra.

El Legítimo Heredero

Dice Olocun que uno debe estar siempre alerta, para que un incapaz no le vaya a robar el puesto que se merece...

Como por poco le sucede al anciano Ondere, que era el legítimo heredero del jefe de Opon. Un grupo de conspiradores quería como sucesor del trono al hijo mayor de un esclavo, y tramó la muerte de Ondere.

Le dijeron al anciano que le otorgarían el título de jefe en la cima de una colina y Ondere aceptó ir hasta allí. Pero su madre sospechó de la oferta y fue a consultar a Eleguá, que le da a cada cual su merecido.

Eleguá le pidió que reuniera dinero, plumas, una escalera de 4 peldaños, una pieza de algodón, la montura de un caballo y piedras. Y le dijo que llevara la ofrenda al pie de la colina.

El adivino convirtió los 4 peldaños de la escalera en 16, sacó del algodón 16 piezas y multiplicó la montura y las piedras. Después, colocó la escalera sobre todo eso para que llegara a la cima de la colina.

Cuando Ondere subía con la gente del pueblo la colina, los asesinos lo empujaron al abismo. Al caer, sus pies dieron con la escalera. Bajo por ella y se sentó sobre el algodón. Eleguá le entregó entonces, la comida que su madre le había preparado.

Al cuarto día, los conspiradores lo llamaron para hacerlo rey, pensando que no respondería porque había muerto, pero Ondere apareció y reclamó su título. Cuenta el caracol que los hombres de mala voluntad no pudieron destronarlo.

Orula y el Adulterio

Dice Olocun que no se debe juzgar a nadie, sino cambiar de corazón y predicar con el ejemplo...

Esa lección la aprendió Orula-Ifá, que había ido a Idere con la esperanza de ver a Ochún desnuda. Era el tiempo en que las personas empezaron a cometer adulterio.

Orula puso en práctica su plan para conseguir a Ochún. Se hizo una falda, se compró un adorno de cuero para la cabeza, un collar de cuentas y una pulsera. Esperó lo suficiente para que le creciera el pelo y se hizo un peinado de moda.

Cuando tuvo todo listo, se fue temprano al río donde se bañaba Ochún. Llegó antes que ella, disfrazado de mujer, y se puso a lavar un paño.

Ochún llegó de prisa y vio a la lavandera en su quehacer, sin sospechar que era Orula. Se desvistió y empezó a bañarse, echándose agua con una jícara. -Por favor, madre, frótame la espalda con esta esponja, le pidió a la supuesta lavandera. Y ése fue el momento que Ifá aprovechó para violarla.

-¿Por qué has hecho esto, Orula?, se quejó lastimosamente Ochún.

-No lo volveré a hacer, lo prometo, ni volveré a castigar a nadie por hacerlo... Y Orula no volvio a castigar a las mujeres por cometer adulterio.

La sombra es lo que vemos; no el efecto. Pero dice el caracol que el resultado está cerca, padre de la imparcialidad.

EL AMIGO DE MONO TONTO

Dice Olocun que el amor y el odio se parecen mucho. La posesión absoluta es como un imán agridulce.

Mono Tonto se disponía a ayudar a su amigo, el jefe de Oponda, a organizar el festival para Egun, el muerto. Los dos ofrecieron un sacrificio para que todo les saliera bien.

Eleguá, el tentador, le dijo al jefe de Oponda: -Si dejas ir a Mono Tonto después del festival, se llevará consigo todas tus bendiciones. No permitas que se vaya, retenlo con esta cadena.

Cuando Mono Tonto llegó, los dos amigos se saludaron alegremente. Después, el jefe le dijo: -¿Ves esta cadena? Me la voy a atar a la cintura por una punta y quiero que tú te la ates también.

Mono Tonto lo complació y todo el tiempo que duró el festival, el jefe de Oponda lo estuvo mimando con bananas, papayas y cereal de maiz.

Un día, el mono le preguntó cuándo lo iba a soltar, y el amigo le contestó que era muy pronto, que hacía muy poco tiempo que estaban atados el uno al otro. Y lo retuvo, porque creía que con él se iría su buena suerte.

Dice el caracol que la persona puede esperar bendiciones junto a su amigo, pero por un alto precio.

En esta vida todo tiene su tiempo

OCHÉ (5)

EL LISIADO INTELIGENTE

D ice Ochún, la dueña del dinero, que más vale maña que fuerza. El Lisiado no propone una pelea, usa su inteligencia.

Obatalá iba a trabajar una finca en "conocer el cielo de la inmortalidad". ¿Qué debía hacer para que la tierra fuera fértil y no hubiera problemas?

Sacrificó dinero y plumas. Orula-Ifá también le pidió que ofreciera 5 jaulas: de latón, de plomo, de hierro, de plata y de cobre. Y se las devolvió después, para que guardara su fortuna en ellas.

Obatalá dijo que compraría un esclavo, y compró al Lisiado, que no podía hacer muchas cosas, pero se dedicaba a observar a su amo de cerca.

Un día, a los hijos de Obatalá se les hizo tarde en la finca. Llegaron echándole la culpa a los loros, porque se estaban comiendo todo el maíz.

El Lisiado les preguntó si lo podían llevar hasta la finca de madrugada, antes del amanecer. Le pidió a Obatalá un cuchillo, y poder para que los loros no volvieran a volar si él lograba que pisaran la tierra. Babá le prometió que se los daría.

Cuando estaba a punto de amanecer, llevaron al Lisiado hasta la finca. Se metió en los maizales y, con la ayuda del cuchillo, empezó a cortar las mazorcas.

Entonces les dijo a los loros: Obatalá quiere que todos ustedes lleguen hasta el maíz, pero los que toquen la tierra no volverán a levantarse.

Los loros salieron volando desde las copas de los árboles hacia el maíz, pero como el Lisiado había desprendido las mazorcas, se cayeron al suelo.

Entonces les dijo a los hijos de Obatalá: -Ahora, ¡a cazarlos!

Empezaron a atrapar a los loros, que cubrían con tela e iban metiendo en las jaulas, hasta que se llenaron las cinco y se las llevaron a casa.

Obatalá empezó a vender las plumas rojas de los loros y se hizo rico. Cuenta el caracol que desde ese día cantaba feliz: -La riqueza viene de la finca, los niños, todas las bendiciones, vienen de la finca de los orichas.

LORITA Y EL REY

Dice Ochún, diosa del amor, que hay más detractores que benefactores en el mundo, pero no siempre se salen con la suya.

Lorita era la esposa favorita del rey. Para que su vida transcurriera feliz, el inquieto Eleguá le dijo que ofreciera un sacrificio de dinero y el pilón en el que se sentaba, además de un plato de ñame, para que nunca padeciera una enfermedad del trasero, y para que nadie cercano pudiera hacerle daño.

Tiempo después, los envidiosos untaron secretamente su pilón con un unguento mágico, y cuando Lorita se sentó, sus plumas se volvieron rojas, lo que le dio mucho dolor.

-¿Por qué estás triste, Lorita?, la consolaba su esposo. -¡Lo que te ha sucedido es glorioso!

Cuando el festival anual de la comarca se aproximaba, las otras esposas del rey dijeron que todas querían bailar desnudas ese año.

Lorita estaba muy seria. Pero el rey insistía: -¿Por qué estás triste? ¿Porque la gente va a ver tu cola roja? Pues serás la primera en bailar, porque a mis ojos te ves preciosa.

Cuando por fin llegó el día, empezaron a sonar los tambores, y el rey ordenó: -Tú bailarás primero.

Cuando Lorita empezó a desvestirse y el sabio Orula-Ifá, que estaba presente, vio su cola roja, la cubrió inmediatamente con su capa de 16 mundos, y le dijo al rey:

-¿Qué significa esto? Este milagro es algo que el rey de Ara nunca ha visto y por eso su vida no está en orden. El rey de Ijero tampoco lo conoce y su vida es un desastre. Ninguno de los reyes ha visto algo semejante y no han podido ser felices. Sin embargo, tú lo tienes aquí en tu casa.

-¿Vas a vender esas plumas?, continuó Ifá. -Si no puedes regalarlas, ¿le venderías las plumas a los demás reyes para que puedan ordenar sus vidas?

El soberano vendió cada una de las plumas rojas en 10,000 caracoles. Lorita se hizo rica y su esposo también, porque todos querían tener las plumas.

El defecto de Lorita se convirtió en su bendición. -Los que quisieron destruirme, me ayudaron, decía. -Ochún no permitió que me hicieran daño.

Dice el caracol que los detractores no son tan escasos como los benefactores. Los que hacen el bien son muchos menos, pero nunca hay mal que por bien no venga.

ORULA APRENDE HUMILDAD

Dice Ochún, dueña de la miel y la canela, que perdiendo se gana. Hay que saber darle la vuelta al mundo. Hasta el sabio Orula-Ifá tuvo que aprender esta lección.

Ifá se despertaba cada mañana a pelear. Luchar era su profesión. Si peleaba en casa del rey de Ara, ganaba. También le ganaba al rey de Ijero y al rey Orogun Aga.

Orula no tenía nada. ¿Qué podía hacer para verse rico en la tierra?

Eleguá, el más chiquito de los orichas, le dijo que debía descansar, que ofreciera un sacrificio de dinero y plumas. -No debes volver a ganarles, le dijo. -Debes permitir que ellos te ganen a ti.

Cuando Orula regresó a casa del rey de Ara, el rey pensó: -Este hombre ha vuelto buscando humillarme. Me ganó ayer, pero hoy es otro día, y le voy a ganar yo.

Empezaron a luchar, y cuando Orula cayó de espaldas, el rey lo inmovilizó.

-Rey de Ara, estás en un aprieto, le dijo enseguida Elegua. -Divide a la mitad todo lo que tienes: tus ropas, tus mujeres, tu dinero y dáselo a Orula. Sólo así podrás mantener tus bendiciones.

Esa noche Orula no pasó hambre.

Al día siguiente sucedió lo mismo en casa del rey Orogun Aga y después en casa del rey de Ijero. Orula luchaba y todos le ganaban. Se hizo rico.

Orula no debe pelear. Cuenta el caracol que así fue como empezaron a tirar a Ifá en el piso hasta hoy, para que pueda interpretar el destino de los hombres.

La Astucia de Ochún

Dice Orula-Ifá, el que conoce los corazones, que a veces los adivinos se comportan como los cobardes, y los curanderos como aquellos que no oyen consejos. Si la guerra llega a un pueblo, hay que consultar a los sabios.

Cuatrocientas una divinidades estaban en guerra con la Ciudad de las Mujeres; una guerra fracasada, imposible de ganar.

El rey les pidió a los 16 Espiritus, que capturaran para él la Ciudad de las Mujeres, y ellos le prometieron hacerlo.

Changó falló; Babalú Ayé también fracasó; los muertos no tuvieron éxito. Todos intentaron y fallaron.

-Deberíamos consultar a las mujeres, dijeron algunos.

-¿A las mujeres? ¡Nunca!, fue la respuesta... -Pero hemos perdido la guerra, vamos a consultarlas, decidieron por fin.

Llamaron a Yemayá, a Ochún, a Oyá, a todas.

-Yemayá, tú eres la indicada para ir a esta guerra, le dijeron; pero ella les contestó: -Antes de mí, debe ir Ochún.

-Si fracaso en mi intento de capturar la ciudad, pueden mandar a las demás, les dijo Ochún. Pero Oyá quiso ser la primera en tratar. Fue y la rechazaron.

Entonces enviaron a Ochún, quien se consultó para saber qué tenía que hacer para ganar la guerra.

Su amigo Eleguá le dijo que ofreciera dinero, plumas, un güiro y un ovillo de hilo. Tomó el hilo y lo ató al cuello del güiro, diciéndole a Ochún que se aproximara a la ciudad tocándolo y cantando.

La más joven de las diosas se puso en camino, mientras cantaba con dulzura:

> *Sewele, sewele,*
> *Ochún viene a jugar;*
> *Ochún no sabe pelear;*
> *sewele, sewele*

La Ciudad de las Mujeres estaba situada en lo alto de una colina, y desde muy lejos vieron que Ochún se acercaba. -Es una mujer, dijeron. -No viene a pelear, está tocando un güiro.

Se le acercaron, oyeron lo que cantaba y le hicieron coro. Arrojando sus lanzas al suelo, los guerreros se pusieron a bailar junto a ella. Todos siguieron a Ochún, que empezó a retroceder.

Les había dicho a los hombres que se ocultaran en el bosque, frente a los muros que protegían al pueblo, y fue guiando a los habitantes de la Ciudad de las Mujeres hasta allí.

Un vez que entraron en la ciudad, empezó a cantar: -Los he traído con una larga, larga cuerda.

72

Desde ese momento todo el pueblo empezó a servir a Ochún.

Cuenta el caracol que de esa manera las mujeres tomaron el poder y lo conservan hasta hoy. Se convirtieron en los maridos y tuvieron más poder que los hombres en presencia del rey, porque una de ellas supo ganarle la guerra.

LA POBREZA DEL SABIO

Cuenta el caracol, que al principio del mundo, Obatalá, el creador de los hombres, fue llorando a casa de Orula-Ifá, el dueño del tiempo, a pedirle bendiciones. Ifá le dijo que tuviera paciencia, que sería rico cuando llegara a la tierra.

Babá ofreció dinero, plumas, 5 babosas, 5 cocos y la ropa que llevaba puesta. Cuando llegó a la tierra, se convirtió en su rey.

Dice Orula, que la pobreza no mata al sabio; el sufrimiento le trae riqueza y sus problemas tienen un final feliz. No importa lo que duren, se convertirán en motivo de risa.

EL DESPERTAR DE OCHÚN

Dice el caracol que cuando Ochún, dueña de la risa y las lágrimas, se despertó de su largo sueño, fue a pedirle todos los destinos a Olodumare, Dios.

Yeye Cari ofreció dinero, plumas y 5 cocos para que su vida transcurriera fácil y placentera.

Cuando terminó el sacrificio, todos los destinos que le había pedido a Olodumare, todos, le fueron concedidos.

LOS DOS AMIGOS

Dice Ochún, diosa de lo dulce y de lo agrio, que un viejo esclavo no se independiza; un rey destituido no tiene que servir de peón; y ningún peón, por viejo que sea, puede negarse a trabajar para su acreedor.

Esin trabajaba y trabajaba sin resultados. Su amigo Mole le dijo que debía comprar unos cocos para vender en el mercado, pero él no tenía dinero.

-Yo te los voy a comprar, le dijo el amigo, y le regaló una gran cantidad de cocos.

Esin era lisiado, tenía un solo pie, y cuando salió a la carretera cargando los cocos, se cayó y todos se le partieron.

Llegó por fin al mercado y cuando abrió su bolsa, todo el mundo empezó a burlarse de él porque sus cocos estaban rotos... Pero ninguno de los otros comerciantes pudo vender los suyos ese día.

Mientras tanto, el rey estaba consultando a Orula-Ifa, el adivino mayor, quien le dijo que debía ir al mercado y comprarle todos los cocos a la persona que los tuviera abiertos. A cualquier precio.

Cuando los mensajeros del rey llegaron al mercado y vieron los cocos partidos de Esin, le dijeron que los recogiera y los acompañara a ver al rey. Mole, su amigo, dijo que él también iría.

Ya en palacio, el rey le preguntó a Esin cuánto quería por sus cocos, y Mole se apresuró a contestar que 10,000 caracoles por cada una de las mitades.

Entonces, los criados del rey llevaron a Esin al patio, acompañado por su fiel amigo. Le afeitaron la cabeza, lo vistieron de harapos y prepararon el sacrificio que Orula había indicado para Eleguá, el que abre los caminos.

Cuando Esin regresó con el encargo cumplido, lo bañaron, le pusieron un hermoso traje y le regalaron un caballo. Su amigo Mole se mantenía siempre a su lado, velando por su bienestar.

Cuenta el caracol que Mole se convirtio en el babalao del rey de Oyo, y Esin en uno de sus principales asesores, con grandes privilegios y toda su confianza.

EL PRIMER REY DE IBADAN

D ice Obatalá, el dueño de las cabezas, que el leñador entra en el bosque furtivamente a buscar madera y el cazador se abre paso entre los árboles con rapidez. No hay nada que la cabeza no pueda conseguirle a un hombre. Su cabeza lo hace rey.

El rey Oluyole sufría y sufría porque era pobre. Eleguá, el que salda las cuentas, le dijo: -En el lugar donde vas a hacerte rico, haz allí tu hogar. Todos mencionarán tu nombre para siempre.

Oluyole ofreció mucho dinero, 5 trajes valiosos, una rana que sacrificó, 5 babosas y 5 palomas.

-No debes matar ni las palomas ni las babosas, le advirtio Eleguá. -Llévalas vivas con el resto del sacrificio al lugar donde debes llegar.

Oluyole siguió su consejo al pie de la letra y llevó su ofrenda hasta Ibadan, de donde nunca más se fue.

Tan fácil como un juego, tan leve como una broma, todo el mundo lo empezó a buscar. En Ibadan fundó una ciudad y fue su primer rey verdadero.

Cuenta el caracol que tan lejos como llegaron a volar sus palomas en aquellos días, así se extendió la tierra de Ibadan. Tan lejos como se arrastraron sus babosas, así se extendió su reino.

EL OLVIDO DE OCHÚN

Dice el caracol, que el buitre hizo una buena acción y se quedó calvo. La tiñosa se portó bien y le salió bocio. Aprende, para que otro día te cuides de hacer el bien indiscriminadamente.

El pueblo de Oshogbo era infeliz porque no tenía niños; todo el mundo se quejaba amargamente.

Eleguá, el que siempre llega primero, les dijo que debían confiar en una mujer.

Preguntaron y preguntaron, hasta averiguar que esa mujer era Ochún, la que sabe ganar las guerras. Y fueron a verla.

-¿Qué pasa?, les preguntó Yeye Cari.

-Queremos que el pueblo se llene de niños, dijeron a coro.

-Los tendrán, les respondio la poderosa Yyalorde. -Pero cuando los tengan, ¿se acordarán de mí?

Todos se apresuraron a contestarle que sí, pero Ochún sabía que la olvidarían. Así y todo, comenzó a darles hijos.

En diez años no volvieron a acordarse de ella...

Dice el caracol que el cuchillo es cauteloso, por eso pensamos que no tiene filo, pero un día, como quien no quiere la cosa, corta las manos severamente.

Yeye Cari ofreció un sacrificio y se sentó a esperar. Los hijos de Oshogbo empezaron a enfermarse el día en que tomaron a Ochún por una mujer ordinaria.

Eleguá les aconsejó a los desmemoriados habitantes del pueblo que acudieran a Ochún de inmediato y, la más bella de las diosas, les ordenó que le trajeran lechuga fresca, dinero, 5 cocos y atole de maicena. Cuando llegaron con la ofrenda, ya los niños estaban curados.

Nunca más olvidaron a Ochún. Cada 5 días le llevaban maicena, buñuelos, lechugas y cocos. El pueblo vivió en paz muchos años.

Ochún creó a la gente de Oshogbo, que ahora le sacrifica en espíritu.

Usaré un camaleón para reverenciar a Ochún, dice el caracol.

De la mentira nace la verdad

OBARA (6)

MAGIA CONTRA EL MAL

C uenta Eleguá, el mediador entre los oriehas y los hombres, que la magia ayuda a detener el mal. Lo vuelve impotente.

Olopi consultó a la Rodilla para que le dijera cómo podía escapar el mal.

-Ofrece dinero, plumas, un chivo negro y una vasija, fue la respuesta. La Rodilla se quedo con todo como pago, pero le devolvió la vasija, diciéndole que la colocara bocabajo en el cuarto.

La vasija taparía cualquier daño que tocara a la puerta.

La muerte no alcanzó a los hijos de Olopi, ni la enfermedad tampoco. Todo lo que hacía lo completaba en un día.

Dice el caracol que Obatalá confinó el mal al cielo.

LA POBREZA DE ORULA

Dice Ochún, dueña de la abundancia, que no debemos tener apuro en hacernos ricos. Cuando llegue el momento, tendremos de todo.

La Cabeza adivinó para el rey y exigió su corona en recompensa.

Cuando le toco el turno al Cuello, le pidió su collar de cuentas, y el soberano se lo otorgó.

La Cintura solicitó el manto real por su consulta, el manto que brilla intensamente.

Cuando Orula-Ifá adivinó, sólo escogió la mitad de un ñame y una calabaza. Ifá había enseñado el arte de adivinar a la Cabeza, al Cuello y a la Cintura, pero era humilde y paciente.

Todos se burlaban de la pobreza de Orula.

Tiempo después, Ifá regresó a la casa del rey, y éste le ofreció 6 calabazas y 6 ñames, que llenó de cuentas.

Un día, Ifá empezó a vender las cuentas que había ofrecido el rey, y se volvió muy rico.

Dice el caracol que la cabeza que muere rica es la del más sabio.

La Rata y la Ardilla

Cuenta Changó, dios del trueno, que el pueblo de Ofá estaba sufriendo. Las ofrendas no daban resultado. Las pociones mágicas no surtían efecto. Sacrificaban a sus espíritus protectores y a los orichas, pero nada. Todos eran muy infelices.

Con "Quien conoce el camino a Ofá pero no entiende Ifa" le mandaron un mensaje al adivino "Que entiende Ifá pero no conoce el camino de Ofá".

"Quien conoce el camino a Ofá" estaba sirviendo como rehén porque debía dinero. "Quien entiende Ifá" le dijo que si lo llevaba a Ofá, podría pagar su deuda.

Cuando el adivino llegó a Ofá, le rogó al rey que le diera al rehén la cantidad que debía, en pago por su servicio.

-Toma el dinero, le dijo el adivino. -Llévaselo a tu acreedor. Y junto con las monedas le entregó su fusta, hecha con la punta de la cola del buey, como identificación, diciéndole: -Dile a tu acreedor que fui yo quien te dijo que le devolvieras su dinero, y luego regresa.

Después de pagar su deuda, "Quien conoce el camino de Ofá" no volvió a devolverle la fusta al adivino.

Changó advierte que tengamos cuidado con las traiciones, que hay gente que se aprovecha de la generosidad del sabio.

Dice el caracol que "Quien entiende Ifá" es la gran Rata. Su cola la tiene ahora "Quien conoce el camino a Ofa", a quien llaman Ardilla...

Entonces, "Quien entiende Ifá" se dispuso a consultar al rey. Le dijo que tenía que ofrecer dinero y plumas.

-Hay 6 caminos que llegan a Ofá, le dijo al rey.
-Tienes que llevar un sacrifico a cada uno de ellos.

Así descubrieron que quien se estaba comiendo las ofrendas del pueblo era una guinea blanca. La mataron de un flechazo y la depositaron al pie de Ogún.

Sus sacrificios volvieron a ser oídos, su magia resultó efectiva. Cuenta el caracol que todo lo que se realizaba en Ofá se completaba el mismo día. El pueblo recuperó la calma.

OSAIN, EL BRUJO

Cuenta Changó, rey de la música, que Osain ofreció en sacrificio dinero, la ropa que llevaba puesta, plumas y 200 hojas, antes de encaminarse a la ciudad de Oyo.

Cuando llegó, el rey le preguntó qué sabía hacer, y Osain le contestó que podía curar a cualquiera que tuviera un dolor de cabeza o de estómago, a quienes sufrían de los pies o de los ojos, o a las mujeres que no podían tener hijos.

El rey de Oyo le trajo a Osain personas enfermas para probar si era cierto lo que decía. Y Osain las curó a todas.

-Así que verdaderamente tú haces ese trabajo, le dijo el rey. -Yo pensaba que matabas a la gente.

-Yo no mato a nadie, le contestó el hechicero.

El rey hizo rico a Osain, que recibió bendiciones lejos de su tierra...

-Guinea, sé industriosa y tendrás dinero, dice Changó. -Puercoespin, se trabajador y lograrás tus deseos. La bailarina callejera, de ahora en adelante, debe cuidarse las piernas, para que se vuelvan fuertes, muy fuertes.

Dice el caracol que la gente desconfía de los brujos. Los prueba porque les teme.

CONFIANZA Y DUDA

Dice el caracol que debemos confiar siempre. La duda corrompe el corazón y debilita la acción.

Akere se fue a consultar lleno de dudas. Ofreció dinero, plumas y comida para su tablero de Ifá. Pero se preguntaba si el sacrificio resultaría o no resultaría.

Cuando terminó de ofrecerlo, todos sus dolores de cabeza, sus malestares del hígado y otras enfermedades desaparecieron para siempre.

Todo el trabajo que estaba realizando sin percibir beneficios empezó a rendirle frutos. Su vida se hizo agradable.

Changó y Oyá dicen que no debemos dudar de los orichas.

El Cazador y el Rey del Monte

Dice Changó, dios del fuego, que debemos construir un almacén para las ganancias con antelación. Hacer una galería para las riquezas con tiempo suficiente. Comprar ropa nueva para el hijo que nacerá el año próximo desde ahora.

¿Qué podía hacer Obara para que ese año le fuera bien en su finca?

Eleguá, el adivino travieso, le dijo que ofreciera dinero, plumas y un manto negro.

Obara empezó a trabajar la tierra. Plantó boniatos, ñames de agua y ñames amargos.

Un día quiso asar algunos boniatos y por más que buscó y buscó no encontró ninguno, así que tomó maiz, lo tostó y empezó a comérselo. También asó algunos frijoles.

Mientras tanto, un cazador se encontró con el Rey del Monte, quien le preguntó qué andaba buscando. El cazador le dijo que estaba en la pobreza. -Espera por mí, le contestó el rey. Y regresó con 6 calabazas, de las cuales había llenado 5 de cuentas. Se las entregó al cazador, que sin saber lo que contenían, las aceptó indiferente y siguió su camino.

Más adelante se encontró a Obara, cuando estaba comiéndose los frijoles. Obara lo invitó a sentarse y a compartir con él. Cuando terminaron de comer y beber, se acostaron a descansar a la sombra de una ceiba.

-Anciano padre, guarda estas calabazas en tu choza para que tengas qué comer otro día, le dijo el cazador cuando despertó. Obara las recibió sin darles mucha importancia.

Un día que no encontró nada que comer, pensó que debía mirar lo que el cazador le había regalado. Trató de abrir la primera calabaza, pero estaba llena de cuentas, igual que la segunda, la tercera, la cuarta y la quinta. Sólo una era una calabaza de verdad. Tomó sus semillas y las plantó cerca de su choza.

Obara se volvió rico. Vendió una calabaza mágica.

Por ese tiempo, el cazador regresó... -¿Qué quieres ahora?, le pregunto el Rey del Monte.

-Soy pobre y estoy buscando la riqueza, le contestó el cazador.

-¿Qué pasó con lo que te di el otro día?, replicó el rey.

-Se lo di al anciano que tiene una finca por allá, explicó el cazador.

-¡Ja!, dijo el rey. -Nunca volverás a ser rico.

Por eso los cazadores nunca son ricos, a menos que trabajen la tierra.

Dice el caracol que si alguien te da algo, no debes decir que no sirve, no lo debes regalar, ni rechazar, porque la persona a la que le hagas el desaire se beneficiará con eso.

La Ceiba y Descampado

Dice Changó que quien amonesta a una persona con pasado, revela sus secretos de familia.

La frondosa Ceiba no tenía esposo y Descampado no tenía mujer. Ambos ofrecieron dinero, plumas y un manto negro para acabar con su soledad. Se conocieron y se casaron.

Después de la boda, Eleguá les dijo que debían ofrecer otro sacrificio para tener hijos. -¿Qué?, pensó la Ceiba. -Si estamos casados, seguro que tendremos familia. Y no hizo la ofrenda a los orichas.

Cuando la imponente Ceiba llego al Descampado, todo el mundo buscaba su sombra para trabajar: los muertos, los orichas, los comerciantes.

Despues de un tiempo, los envidiosos fueron a hablarle a Descampado. -Nadie recurre a ti ya, le dijeron. -Sólo van a buscar a la Ceiba. Tu esposa te ha superado, es más importante que tú.

-Sí, la quieren mucho... reflexionó Descampado. -Debes atraer a la gente como antes, insistieron. Y Descampado se divorció de la Ceiba.

Pero los vendedores de güiros y de cestas, los orfebres, los muertos y los orichas seguían recurriendo a ella en su exilio, comentando con pesar su suerte.

Changó dice que el hombre no debe divorciarse de su mujer con rabia, porque ella se llevará consigo su buena suerte.

¿Qué podía hacer Descampado? Los adivinos le aconsejaron que la fuera a buscar, así que le mandó un mensajero pidiéndole su regreso.

-No, respondió la Ceiba. -De la misma manera que se divorció de mí, que venga a buscarme en persona.

Descampado fue a verla y le rogó y le rogó, hasta que la convenció que se volviera a casar con él.

Cuando la Ceiba regresó al Descampado, sucedió lo mismo que la primera vez. Pero ahora su vida era feliz, ordenado su destino.

Dice el caracol que la dueña del Descampado da sombra en abundancia. La bendicion de un hogar se le hizo realidad.

EL AGUA DE LA RIQUEZA

Dice Changó, el rey de la alegría, que no es mala idea sacar agua del manantial original y echarla en el mar. Hay labores que nos parecen absurdas y poco productivas. Sin embargo, si perseveramos en ellas con confianza, un día nos llenarán de bendiciones. Nada es tan descabellado como parece. Añadirle algo a lo que ya tienes no le hace daño a nadie.

El Lirio fue a consultarse con Eleguá. El que todo lo sabe le dijo que debía sacar el agua de la riqueza para Olocun, su amo, y además ofrecer un sacrifico de dinero, una jícara y plumas.

Después de hacer la ofrenda, Eleguá le devolvió la jícara y le dijo que con ella debía sacar el agua que Olocun, el inmenso océano, quería.

-¿Debo sacar agua del manantial y echarla en el mar?, se pregunto incrédulo el Lirio. -Me parece ridículo, no lo voy a hacer. Y no obedeció.

Tiempo después, el Lirio empezó a secarse. Asustado, fue a consultarse de nuevo con Eleguó, quien le repitió lo que ya le había dicho y le aconsejó que ofreciera otro sacrificio.

Esta vez, obedeció. Llegaba todos los días tempranito al manantial y no se iba hasta pasado el mediodia. Sacaba y sacaba agua con la jícara para echársela al mar.

Después de mucho tiempo, el mar se volcó sobre él, llenándolo de bendiciones.

El Lirio estaba sacando, sin saberlo, el agua de la riqueza.

Dice el caracol que están matando los jacintos, pero los jacintos están retoñando. Están caminando sobre una montaña de piedras, pero la montaña se está puliendo. Están gritándole a Ogún, pero su cuerpo se hace cada vez más fuerte.

OSAIN Y LA FINCA DE ORULA

D ice Chango que para saber mucho de algo hay que
dedicarle tiempo y amor; después, la recompensa
vendrá sola.

Como le pasó a Osain, dueño del monte, cuando fue
a ver a Orula-Ifá, el adivino, para pedirle dinero prestado.
Orula le dijo que a cambio debía trabajar en su finca,
limpiándola de yerbas con el azadón.

Osain aceptó la oferta, pero fue a ver a Eleguá para
asegurarse que todo le fuera a ir bien en su nueva empresa.
El que abre los caminos le dijo que ofreciera dinero,
plumas y el traje negro que llevaba puesto, para regresar
con bendiciones.

Cuando Osain llegó a la finca de Orula, empezó a
reconocer todas las plantas que allí había: -Esta es la hoja
que cura las enfermedades, y ésta es para conseguir dinero,
y ésta otra para atraer una esposa, iba diciendo, a medida
que recorría el terreno. Y no arrancó ninguna de las
yerbas.

A los 6 días, cuando Ifá regresó a su finca, le
preguntó a Osain porqué no había limpiado el campo. -No
encontré ninguna yerba mala, digna de arrancarse, le
contestó el que conoce las plantas.

-¿Y todo esto?, le preguntó el sabio... -Estas hojas
curan los dolores de cabeza y de estómago; esas otras

consiguen el amor, aquéllas hacen concebir a las mujeres, las de más allá, dan el desenvolvimiento económico, respondió Osain.

-Entonces vete y déjame con mis plantas, le dijo Ifá. Y Osain no tuvo que devolverle el dinero ni trabajar más.

Dice el caracol que hay que dedicarle todo el corazón a lo que en verdad queremos lograr.

LOS APRENDICES DE ORULA

Cuenta el caracol que la larga Víbora, adivina de la ciudad de Iloro; la gruesa Pitón, adivina del pueblo de Ilabata; y el Escorpión que pelea duro, adivino de Ilepo, los tres eran aprendices de Orula-Ifá, el mago.

Después de un tiempo, la Víbora le dijo a sus compañeros: -Vamos a esperar a Orula en la carretera. Si lo toco con el veneno de mi boca no se recuperará.

-Si mi diente lo alcanza, tampoco sanará, añadió la serpiente Pitón. Y el Escorpión remató: -Si yo lo pico, no hace el cuento.

Dicho y hecho. El Escorpión se escondió a esperarlo en un foso donde se guardaba el palmiche. La Víbora aguardaba en el monte y la serpiente Pitón en el fango.

Orula, mientras tanto, había ido a hacerle una ofrenda a los orichas de dinero, una jutía y plumas.

Cuando terminó el sacrificio gritó: -Tú, Víbora, adivina de la ciudad de Iloro, ¡sé dónde estás! Gruesa Pitón, adivina del pueblo de Ilabata, ¡te puedo ver! Escorpión que pelea duro, adivino de Ilepo, ¡no te puedes esconder de mí! ¡Hacedores del mal, curanderos, los conozco bien!

Y los tres salieron a su encuentro. -Víbora, le dijo Ifa, -¡échate en el piso para golpearte la cabeza con esta vara de hierro! Tú, serpiente Pitón, ¡quédate quieta para poderte matar! Y tú, Escorpión, ¡te voy a voltear con un palo, para que tu pecho mire al cielo!... Y el más grande de los adivinos los maldijo a los tres.

Changó dice que vivamos tranquilos, con paz mental, que los orichas nos ayudarán a conquistar los enemigos.

La Liberación del Gato Montés

Dice Changó que tarde o temprano Ogún mata al acreedor abusador; Ochún ahoga al recaudador de impuestos y Babalú Ayé acaba con el enemigo. El sueño se convierte en verdadero descanso...

El Gato Montés se encontraba rodeado de enemigos. Estaba sirviendo a la Víbora como trabajador asalariado, y también al Leopardo y a la Hiena.

¿Qué podía hacer para liberarse de sus acreedores? Fue a ver a Eleguá y el dueño de los trucos le dijo que debía hacer una fiesta con bastante comida y bebida e invitar a sus conocidos.

El Gato Montés no conocía a nadie, no pertenecía a ningún club, no tenía un solo amigo. Excepto el Leopardo, la Hiena y la Vibora. Y los invitó a los tres, que comieron y tomaron hasta emborracharse.

-Vamos a decirnos los tabús que tenemos, propuso la Hiena sin pensarlo mucho, -para evitar transgredirlos y no tener que pelear nunca, ya que somos amigos.

Y el Leopardo le preguntó enseguida cuál era el suyo. -De todas las cosas que detesto en el mundo, lo peor para mí es que una persona me mire el ano, contestó la Hiena.

-El mío es simple, dijo el Leopardo: -No me gusta que me echen polvo encima.

-¿Y cuál es el tuyo, Víbora?, preguntaron los dos.

-No me importa que me llenen de polvo ni que me miren, lo que verdaderamente no soporto es que nadie me toque.

Después de un rato, la Hiena se paró a orinar, y el Leopardo se le quedo mirando. En ese momento, la Hiena se volteó y lo agarró con las manos en la masa. Cuando regresó a la mesa, se paró detrás de él y lo cubrió de polvo. El Leopardo saltó indignado y empezaron a pelear.

En el fragor del pleito, pisaron a la Víbora, que los mordió a los dos, matándolos instantáneamente.

El Gato Montés lo miraba todo sin chistar. De pronto, oyó que se acercaba un cazador y desaparecio.

Cuando el cazador llegó al sitio, vio los cuerpos del Leopardo y la Hiena tirados en el suelo y a la Víbora escondida bajo la mesa, y la mató de un disparo.

Dice el caracol que desde ese día, el Gato Montés puede dormir tranquilo. Sólo se despierta cuando tiene hambre. Su paz mental es indescriptible, porque los orichas conquistaron el descanso para él.

El Hijo de Orula

D ice el caracol que hasta la Muerte, cuando va a matar a alguien, escucha lo que esa persona tiene que decir. A un narrador lo salva su historia.

Cuando Orula-Ifá llegó a la ciudad de Benin, cazaba en el monte con sus flechas y adivinaba para la gente. Pero poco tiempo después, los hombres empezaron a decir que Ifá le estaba haciendo el amor a sus mujeres, y le construyeron una trampa.

Orula se levantaba muy tempranito cada mañana y se iba al monte a cazar. Ese día vio un antílope y lo hirió con sus flechas. En la confusión, el animal salió huyendo y cayó en la trampa; Ifa cayó tras él, y permaneció en el hoyo durante 6 días.

Cuando las mujeres iban camino a la finca a trabajar, se dieron cuenta que Orula estaba en el hoyo. -Padre, ¿cómo caíste en la trampa?, le preguntaron.

-Sus maridos planearon esto para mí, porque dicen que soy un adúltero, contestó el dueño del tiempo. -Con las cintas de sus cabellos atadas unas a otras podrán sacarme de aquí, pidió Orula, que sostuvo la cuerda improvisada con su mano derecha y con la izquierda agarró al antílope y salió del hoyo.

101

Después de esa experiencia, Ifá se construyó una choza de guano a las puertas de la ciudad, cocinó la carne del antílope y la compartía con todo el que regresaba de la finca.

Poye fue la última mujer que pasó por allí. Orula la metió en su choza y la violó. Poye era virgen. Nunca antes había tenido un hijo, y Orula tampoco había sido padre.

Poco después, Ifá regresó al pueblo de su padre, donde lo hicieron jefe. Y ya no pudo despegarse de allí.

Paso el tiempo, y Eleguá, el tentador, le dijo un día a Poye que debía entregarle su hijo al padre. -¿A un marido que no he vuelto a ver en 6 años?, protestó Poye.

-Cuando el dueño del niño venga, se llevará a su hijo, le contestó Eleguá.

Orula llegó a ser rey de Benin, y cierta vez pidió que le trajeran un esclavo para sacrificarlo a su tablero de adivino.

Y le llevaron a su hijo Olomo, que él no conocía. Poye se puso en marcha hacia Benin, en busca de su hijo, pero antes, ofreció en sacrificio dinero y plumas, para que los orichas hicieran justicia.

Cuando Olomo se presentó frente a Orula, habló de esta manera: -A menos que el padre del niño no sea su padre, a menos que Poye no fuera la madre de Olomo, no debes hacer lo que estás pensando.

-¿Cuándo te tuvo Poye? ¿Estás diciendo la verdad?, preguntó el sorprendido Orula.

En ese momento, Poye llegó a Benin y comenzó a recriminar a Orula. -Todo el mundo se había ido ya para su casa, yo me quedé rezagada y me violaste en la choza. Antes de que mates a mi hijo, tendrás que matarme a mí.

-No te preocupes, le contestó Ifá, y dirigiéndose a sus mensajeros les ordenó: -Díganles a los tamboreros que lo que pida su canto, yo lo respetaré.

Esa noche, cuando los tambores empezaron a sonar, hablaron de este modo: -Ifá debe aceptar una chiva negra, debe dejar libre a Olomo. No sacrifiques la cabeza de tu hijo, sino la de una chiva. Deja ir a Olomo.

-¿Oyeron todos lo que dicen los tambores?, se aseguró Orula. -Mi tablero acepta una chiva este año, en lugar de la cabeza de una persona.

Desde ese día, hasta hoy, se le sacrifican chivas a Ifá.

Dice el caracol que el monte es un monte de fuego; el prado, un prado de sol; y el coto de caza es para los cazadores.

El Príncipe Voluntarioso

Dice Changó, dios del trueno, que la cabeza del hijo es buena, pero el padre no lo sabe.

Jegbe, el primogénito del rey de Oyo, le dijo a su padre que quería irse a cazar al monte, pero su padre le pidió que primero aprendiera con las vacas, que cazara una cada día.

Jegbe no quiso hacerlo.

Luego el rey le sugirió que practicara con los caballos, o con las chivas que encontrara por la calle, pero su hijo se negó a obedecer. Estaba determinado a convertirse en un verdadero cazador.

Eleguá, el que prueba a los hombres, le dijo que ofreciera un sacrificio para que le saliera bien la empresa que tenía en mente, pero tampoco le hizo caso.

Se fue al monte, cazó un elefante y le sacó los intestinos como prueba de su hazaña. Cuando llegó frente al rey, le dijo que mandara a la gente a descuartizar al elefante para que le sirviera de comida, pero cuando la caravana llegó al monte, no encontró nada. Eleguá había despertado al elefante dándole en las ancas y el paquidermo se había ido corriendo.

La segunda vez que Jegbe fue a cazar, mató un búfalo. Le sacó los intestinos y se los fue a mostrar a su padre. Por segunda vez, Eleguá hizo que el búfalo se fuera, antes que llegaran los emisarios del rey a comprobar la caza.

Después de un tiempo, el príncipe cazó un antílope, pero le sucedió lo mismo que las otras veces.

Entonces fue a visitar a Eleguá para que le dijera lo que estaba pasando. -Debes apurarte y ofrecer un sacrificio de dos trajes, dinero y plumas, para que las cosas se compongan, le contestó el que abre y cierra los caminos.

-Lleva el sacrificio a un lugar desierto del monte, y cuando llegues allí, préndele fuego a tu ropa y caliéntate junto a la hoguera. Allí será donde la riqueza va a encontrarte, le vaticinó Eleguá.

Mientras tanto, 200 reyes habían perdido el camino a Oyo, y cuando vieron el humo que salía de la fogata de Jegbe, se dirigieron hacia allá y encontraron al hijo del rey desnudo.

-¿Quién eres y cómo llegaste aquí?, le preguntaron. -Soy un ser humano y vine a ofrecer un sacrificio, contestó Jegbe.

-¿Puedes mostrarnos el camino a Oyo?

-Claro que sí, ésa es la ciudad de mi padre.

-Di que no puedes ir caminando, le sugirió Eleguá al oído. Y lo pusieron sobre un caballo.

Cuando habían avanzado un poco, Eleguá le volvió a decir: -Jegbe, di que no tienes esposa. Y le dieron 6 mujeres.

-¿Quién cortará la yerba para mi caballo?, preguntó el príncipe, como de pasada. Y de inmediato le ofrecieron 6 ayudantes.

-Di que no tienes ropa, insistió Eleguá, y le regalaron 6 trajes.

Jegbe llegó a las puertas de la ciudad y Eleguá le pidió que fuera a saludar al rey. -Padre, he encontrado a 200 reyes en el monte. Pero el padre pensó que eran nuevas mentiras.

-No estoy mintiendo, avísale a la gente del pueblo. Pero nadie le creyó. -¡Que se quede con sus 200 reyes!, contestaron burlándose.

Cabizbajo, el primogénito del rey fue con Eleguá a quejarse de su suerte. -Diles a los 200 reyes que hagan tiendas y construyan casas.

Tiempo después, Jegbe montó su caballo y los reyes lo siguieron. -Vamos a ver a mi padre, dijo serenamente, y desde entonces, nadie fue más grande que él. Su padre no le pudo disputar el trono. Ese día empezó en Oyo la tradición del príncipe coronado.

Dice el caracol que la cabeza es la que enriquece a la persona.

EL DESPRECIO DE AKINSA

Dice Changó que el pago del sacrificio es lo que le enseñaron al adivino que podía conservar, cuando aprendió el arte de sus mayores.

Akinsa, propietario de una finca, fue a consultar a Elegua. El primero de los dioses le dijo que debía ofrecer un sacrificio de dinero, plumas y toda la carne seca que tuviera, para prosperar.

Akinsa respondió que no podía ofrecer la carne porque se la iba a comer. Y no hizo caso.

Para colmo, llamó a los adivinos mentirosos; a los pobres, ladornes; y a los dioses, mortales. Akinsa miraba al cielo con desdén, como quien nunca iba a morir.

Empezó a tostar la carne que no quiso sacrificar, pero cuando se la fue a comer, se le atragantó y lo ahogó, a pesar de toda el agua que le dieron a beber.

Cuenta el caracol que Akinsa, a quien llamaron el amante de la carne, obtuvo la muerte como recompensa y no volvió a comer jamás.

LA TIÑOSA Y ORULA

Dice Changó que la Mosca decapitada rechaza la muerte y el Mosquito se niega a morir eliminando su hígado. El evento simple es el que vemos; el complejo vendrá más tarde, padre del sencillo.

La Tiñosa, conocedora de los avatares, fue al monte a construir un sarcófago. Cuando llegó a la puerta del fondo del rey de Ara, el soberano murió.

También visitó la casa del rey de Ijero y la del rey Orogun Aga y ambos murieron.

Luego la Tiñosa le aconsejó a Orula-Ifá que hiciera una ofrenda contra el encantamiento. -Orula, le dijo, -un hechizo te ronda. Pero el más sabio de los dioses le contestó: -Estás mintiendo, no puedes matarme.

Enseguida, Ifá ofreció un sacrificio de dinero, plumas, una jutía, comida y bebida para su tablero y grandes cantidades de corojo. Nada quedó de su parte por hacer.

Camino a la casa de Orula, la Tiñosa llevaba el sarcófago en la cabeza y Eleguá se lo fijó allí para que nunca más lo pudiera bajar. Y aunque trató y trató de quitárselo de la cabeza, no pudo. Eleguá le dijo entonces: -Así lo llevarás siempre.

Dice el caracol que Orula no murió. Ya nadie tiene la muerte a sus espaldas.

Por mi mano me hice rey

ODÍ (7)

LA PAZ AÑORADA

A Orichaoco, el dueño de la tierra, le preocupaban las nubes negras que presagiaban desastre sobre su ilé. Los jefes de Ifón y Ejigbo vivían en discordia. Los campesinos de la comarca oteaban guerra.

Al verlo tan serio, Ochosi, el cazador, se le acercó y echándole un brazo por los hombros le dijo: -No te atormentes Orichaoco, los dos jefes quieren secretamente la paz, y Obatalá, rey de la paz, se la va a conceder.

Ambos gobernantes se consultaron con Eleguá, el mensajero de los dioses, para buscar una solución. Cada uno tuvo que ofrecer dinero, plumas y 7 babosas en sacrificio.

-Es cierto que estoy en desacuerdo con el jefe de Ifón, confesó el jefe de Ejigbo, -pero la discordia no ha trascendido al pueblo. El otro jefe también admitió el pleito.

Eleguá les dijo que debían hacer las paces privadamente.

-Jefe de Ifón, alguien vendrá a visitarte en 7 días, le anunció el adivino, quien también le hizo saber al jefe de Ejigbo que a los 7 días Obatalá visitaría Ifón.

-¿Qué debo ofrecerle?, preguntó el jefe de Ejigbo. -La chiva que ibas a sacrificar, llévasela hasta allá. La chiva de cualquiera de los dos jefes que entre en su casa, señalará el fin de la discordia con el otro.

Cuando llegó a la ciudad de Ifón, la chiva del jefe de Ejigbo entró en la casa donde Obatalá estaba parando, pero también entró la del jefe de Ifón. Contentos con la señal, saldaron el pleito comiendo y bebiendo juntos. Sus vidas se arreglaron y el destino de sus pueblos volvió a ordenarse.

Dice el caracol que Olocun es la boca del caballo; el tambor se toca con las dos manos y dos caderas no tienen una boca que pueda hablar como una persona.

OBATALÁ ES GRANDE

Cierto día, Pala fue a consultar a Eleguá porque quería tener hijos y no tenía mujer.

Un poco más tarde, una mujer madura fue a visitar al adivino con el mismo ruego.

El que abre los caminos les recomendó a los dos que ofrecieran dinero, un címbalo de cobre y una gallina, que debían sacrificar a su cabeza.

La mujer llegó al mercado primero, y compró el único címbalo y la única gallina que habían llevado los mercaderes para vender ese día.

Luego llegó Pala, y al ver que no había más címbalos ni gallinas en el mercado, intentó comprárselos a la mujer, pero ella le contestó que no estaba interesada en venderlos. El insistió, y empezaron a pelear.

En eso llegó Eleguá y les preguntó cuál era el problema. Cada cual le contó su versión de la historia.

-¡Aja!, dijo Eleguá, -Obatalá es más grande que ustedes dos juntos. Mujer, éste será tu marido. Pala, mira a tu futura esposa. Y se los llevó a ver a Babá.

Obatalá los mandó a sentar, y les tocó la frente con un coco y con el címbalo de cobre que la mujer había comprado en el mercado. Luego sacrificó la gallina a sus cabezas.

-Hijos, les dijo, -vayan a dormir juntos. Esa es tu esposa y éste, tu marido.

Y como si fuera un juego, la casa de Pala se llenó de niños. Cuenta el caracol que su mujer paría y paría, y los dos no dejaban de bendecir a los orichas.

El Olvido de los Orichas

Dice Yemaya, dueña de la casa grande, que si se guarda a Ifá en la repisa, se olvida a Obatalá en un armario y se bota al resto de los orichas, la vida de los pueblos se vuelve triste.

El jefe de Oro no sabía qué más hacer. Había sacrificado a los muertos familiares y a sus guías espirituales, sin resultado. Su gente no era feliz. Desconcertado, fue a consultar a Eleguá para que le dijera por qué la vida de su pueblo estaba tan llena de problemas.

El que abre los caminos le dijo que ofreciera dinero, plumas, 7 babosas, 7 cocos y el traje que llevaba puesto a Obatalá, a quien ya no recordaba, y a Ifá, que esperaba arrinconado en la repisa. Que sacara del olvido a todos los orichas y les diera el trato merecido.

Inmediatamente empezaron a llover las bendiciones. Los asuntos pendientes del jefe de Oro se resolvieron. El destino de su pueblo empezó a enderezarse.

Odí del dolor, odí de la agonía, fue el signo que sacó Eleguá para el jefe de Oro, quien no se acordaba ya de los orichas, cuenta el caracol.

EL COMETA Y LOS ENVIDIOSOS

D ice Yemaya, bastón de la familia, que demasiada
bondad se paga con iniquidad. Como le pasó al
Cometa cuando fue a ayudar al jefe de Ikaru, que
lloraba pidiendo bendiciones para él y para su pueblo.

Cometa, el adivino, le dijo que les ofreciera a Oyá
y a Changó un sacrificio en nombre del pueblo, de dinero,
plumas y la ropa que llevaba puesta.

Pronto, todos en el reino empezaron a ser felices.
Concebían muchos hijos saludables, los enfermos se
curaban y la prosperidad empezó a rondarlos.

Pero un día, los envidiosos que nunca faltan junto
al rey, le fueron a decir: -Jefe de Ikaru, ése que ha curado
a nuestra gente y que ha hecho parir a las mujeres, un día
va a decir que tú vas a morir.

-¿Y qué puedo hacer?, les preguntó el rey. -Lleva
mucho tiempo conmigo y ha mejorado las condiciones del
reino. ¿Debo decirle que se vaya, o debo matarlo?

-Toca el gong y reúne al pueblo. Dile a la gente que
cada familia traiga un saco de leña y una botella de aceite,
propusieron los consejeros envidiosos. -Nosotros sabemos
lo que hay que hacer.

El rey, asustado con sus intrigas, siguió sus
consejos. Había 140 casas en el pueblo, y cada una de ellas

le llevó al jefe de Ikaru un saco de leña y una botella de aceite.

Entonces, los envidiosos le dijeron al rey: -Dile al Cometa que saque esta piedra cuando prendamos el fuego, y cuando pase por la hoguera, morirá.

El jefe de Ikaru llamó al Cometa y mintiéndole, le dijo: -Hay una costumbre en nuestra casa que todos tienen que cumplir o enfrentar la muerte. Hay una medicina en .este tiesto que tienes que llevar al otro lado del fuego, pero no sé cómo debes hacerlo. -Está bien, contestó el Cometa. Cumpliré el encargo.

Hicieron una gran hoguera y pusieron la piedra dentro del tiesto. Todo estaba listo para traicionar al adivino. Pero el Cometa llamó a Oya y Yansán le respondió. Llego el viento indomable y levantó una gran columna de humo. El Cometa se lanzó dentro del humo y Oyá lo saco del otro lado del fuego.

-¿Hiciste algún encantamiento?, le preguntaron los envidiosos. -No, les respondio el Cometa. Y cuando cambió el viento, tomó la piedra y la puso a los pies del jefe de Ikaru. Era la misma piedra que el Cometa había sacrificado a los orichas hacía mucho tiempo. Ahora la luce orgullosamente en su cabeza.

Dice el caracol que el fuego no mató al Cometa. ¡Cometa, te saludo en el peligro! Los orichas no permitieron que te hicieran daño.

El Rey y su Amigo Fiel

D icen los Ibeyi, hijos del desenvolvimiento, que quien confía en Oloro Dios, puede sobrepasar todas las pruebas.

Como Ajibilú, que era amigo del rey de Oyo desde la infancia. Cuando iba a visitarlo, siempre tocaba su tambor y cantaba: -Si Oloro Dios no me mata, la gente no puede matarme.

Los siete jefes de Oyo, celosos de esa amistad, le dijeron un día al rey: -Ese amigo tuyo, a quien tú quieres tanto y a quien siempre estás agasajando y regalándole ropa fina, no te alaba a ti. Lo único que hace es decir: "Si Oloro no me mata, la gente no puede matarme". ¿No te das cuenta que no te quiere?

El rey cedió a las insidias de los jefes. Y un día que Ajibilú se iba fuera de la ciudad, lo llamó y le dijo: -Toma mi anillo y cuídamelo. Cuando regreses a los 7 días, tráemelo de vuelta. Si lo pierdes, ya veré qué hago contigo.

Cuando Ajibilú llegó a su casa, abrió su tablero de Ifá, guardó dentro el anillo que le había confiado el rey, y se fue a trabajar a su finca. El día antes de regresar a Oyo, fue a buscar el anillo para llevárselo al rey. Pero cuando abrió su tablero, la prenda había desaparecido.

Enseguida fue en busca de Eleguá, quien le aconsejó que ofreciera un sacrificio de dinero y plumas. -Además,

118

le dijo, -debes ir al basurero y buscar allí gorgojos para sacrificarle a tu cabeza y a tu tablero de Ifá.

Ajibilú ofreció el sacrificio, y después descolgó su azadón y se fue al basurero en busca de gorgojos. Pero a la primera paletada, encontró el anillo del rey. Lo lavó, cuidándose de no preguntarle a su mujer cómo había ido a parar allí.

Al día siguiente, se lo entregó al rey, pero el soberano se lo devolvió diciéndole que lo guardara otros 7 días.

Cuando Ajibilú regresó a su casa, volvió a poner el anillo dentro de su tablero de Ifá.

Los siete jefes de Oyo, por orden del rey, habían convencido a su esposa la primera vez para que los ayudara a esconder el anillo. Nuevamente volvieron a persuadirla, y ella lo enterró en la finca donde estaban secando harina de ñame.

Ajibilú tampoco encontró el anillo en esta oportunidad, al ir a buscarlo para entregárselo al rey al final del plazo. Y no le mencionó nada a su mujer sobre la extraña desaparición.

De nuevo fue a ver a Eleguá, quien le marcó otro sacrificio de dinero y plumas. Le dijo también, que debía buscar grillos para ofrecerlos a sus ancestros, a su cabeza y a su tablero de Ifá.

Obediente y confiado, Ajibilú empezó a buscar grillos en la finca donde estaban secando la harina de ñame, y en su lugar, encontró el anillo. No le dijo nada a su mujer, y se encaminó a la casa del rey para devolvérselo.

Una vez más, el rey se lo entregó diciéndole que lo tuviera otros 7 días.

Ajibilú, pacientemente, se lo llevó para su casa y lo guardó, como siempre, en su tablero de Ifá.

Su mujer volvió a traicionarlo, y esta vez, tiró el anillo al río.

Eleguá le dijo a Ajibilú que ofreciera un nuevo sacrificio de dinero y plumas y que fuera en busca de un pez.

Después de cumplimentar con los orichas, Ajibilú fue al río y sacó un pescado. Cuando lo estaba limpiando, encontró el anillo entre sus tripas.

Al día siguiente, se lo llevó al rey, sin mencionarle el incidente a su mujer.

Cuando ya se retiraba, el rey le preguntó: -Ajibilú, este anillo que te he dado a guardar 3 veces, ¿nunca lo has perdido?

-Majestad, le respondió el amigo fiel, -la primera vez, lo encontré en el basurero, la segunda en la finca, y la tercera vez dentro del pez que saqué del río.

El rey movió la cabeza en señal de abatimiento y permaneció en silencio. Dejó ir al amigo, sin encomendarle más el anillo.

Llamó entonces a la mujer de Ajibilú y le dijo: -El poder de tu esposo es más grande que el mío. Quise humillarlo y mira lo que me contestó.

-La primera vez, enterré el anillo en el basurero, le confirmó la mujer al soberano. -La segunda, lo llevé a la finca; y la tercera, lo eché en el río. Cómo lo encontró siempre, no lo sé.

El rey volvió a llamar a Ajibilú y le dijo arrepentido: -Lo que tú solías cantar, debes cantarlo siempre. Es cierto que "si Oloro Dios no te mata, nadie puede matarte".

Y cuenta el caracol, que el amigo fiel se retiró de su presencia satisfecho.

Sasere y el Amo Celoso

Dice Yemaya, que cualquier persona, aunque la atormenten mucho, nunca debe decir que no va a ser grande otra vez, porque volverá a serlo. "No es cierto", no aplica en esta instancia.

Sasere era esclavo de Elerí, quien le prohibió que hiciera sacrificios y practicara la magia.

Cuando Sasere se despertaba, le sacrificaba a la cabeza de Elerí en su nombre. Todos los demás tenían buena ropa y dinero. Sasere sólo tenía para comer.

Fue a consultarse con Eleguá para ver cómo podía cambiar su suerte, y el adivino le dijo: -Toma estos 7 cocos, y ofrécele uno cada día a la Ceiba.

Pero un día, los consejeros de Elerí vieron al esclavo al pie de la Ceiba y le fueron a decir a su amo que Sasere le estaba haciendo brujería y que lo quería matar.

Elerí los mandó a vigilarlo y a tomarlo prisionero la próxima vez que lo vieran junto a la Ceiba. Después, ordenó cortar el árbol y hacer un sarcófago con su tronco. Metió a Sasere dentro de él y lo echó al río.

Mientras tanto, en otro lugar del mundo, el rey de Benin había muerto y no encontraban a quién poner en su trono. La tradición decía que debían hacer rey al primer extranjero que entrara en la ciudad.

Una mañana, los habitantes de Benin vieron un sarcófago flotando en el agua. Lo abrieron y apareció Sasere.

-No se asusten, soy un ser humano, mi amo fue el que me hizo esto, les aclaró Sasere a los atónitos ancianos del pueblo.

-¿Qué te sucedió?, le preguntaron.

-Soy un esclavo de Elerí, el que le sacrificaba a su cabeza en su nombre... Y Sasere les contó su historia.

Los ancianos de Benin lo bañaron, lo acicalaron y para sorpresa del asustado Sasere, lo hicieron rey.

El tiempo pasó, y Sasere vivía en paz en su nuevo reino. Un día le dijeron sus súbditos: -Elerí vendrá a rendirte pleitesía, a servirte.

Habían mandado a buscar a todos los jefes de las ciudades que estaban bajo el gobierno de Benin, incluyendo la de Elerí, para que agasajaran al rey.

Cuando llegó su antiguo amo al palacio, Sasere le dijo que se acercara. Pero Elerí, que no sabía quién era el soberano, no se atrevía a acercarse por el respeto que le infundía un rey tan poderoso. Sólo le hizo una tímida reverencia.

Los súbditos de Sasere no querían que Elerí entrara en la sala del trono. -¿Se atreve un perro a entrar en la casa del leopardo?, le preguntaron al rey.

Pero él les contestó: -Déjenlo pasar para que me conozca bien, y yo le reconozca también.

Elerí iba acercándose despacio al trono. -¿Me reconoces?, le preguntó Sasere. Pero Elerí no se atrevía a alzar la vista.

-¡Que se quede de pie junto a la columna!, ordenó el rey. -Me encerró en un sarcófago y me tiró al río, pero yo no haré lo mismo con él. Lo voy a dejar de vigilante junto al pilar para siempre.

Hoy, Elerí-Osun es el bastón de hierro que se coloca ante Ifá. Sasere es Ifá y el sarcófago se convirtió en su tablero de adivino. Desde ese día, Elerí permanece de pie, sin poder sentarse en presencia de Ifá.

Sasere no sabía de lo que era capaz su cabeza. En cambio, Elerí, que era el dueño del esclavo, no supo utilizar bien la suya y le jugó una mala pasada.

Cabeza, llévame a un buen lugar. Ortiga, guíame a un sitio seguro. El extranjero recibirá una bendición al séptimo día, dice el caracol.

El Intrépido Extranjero

Dice Yemaya, la diosa de los collares azules, que a veces las bendiciones de una persona se encuentran en otro lugar de la tierra.

Como le pasó al Intrépido Extranjero, que pensaba probar fortuna en la ciudad de Benin. Antes de ponerse en marcha, le ofreció un sacrificio a Obatalá de dinero, plumas, babosas y cocos, rogándole que le diera su bendición.

Mientras, los adivinos del rey de Benin, le dijeron al soberano que debía vigilar las puertas de la ciudad, porque iba a llegar un extranjero con el que debía compartir la mitad de sus bienes, para poder tener una vida agradable.

El Intrépido Extranjero fue el único que entró en Benin ese día y enseguida se lo llevaron al rey.

-¿Qué es esto?, preguntó. -Acabo de ofrecer un sacrificio para recibir bendiciones en Benin, ¿y ustedes me arrestan?

El rey le preguntó porqué había llegado a su tierra.
-Soy pobre, vengo en busca de fortuna, contestó el Intrépido Extranjero.

Entonces el soberano, siguiendo los consejos de sus adivinos, compartió con él todos sus bienes: ropa, dinero, esclavos, mujeres... -¿Me ayudarás a mejorar mi reino?, inquirió ansioso.

-Si ése es tu deseo, y no me matas, lo haré, le dijo el Intrépido Extranjero, que efectivamente, ayudó al rey a poner en orden los asuntos de la ciudad, y desde ese día compartió su trono.

Vives en una buena casa; te quedas en una buena casa; sabes cómo llegar a tiempo y cuando llegues, te volverás rico. Dice el caracol que entrarás a la casa como el hijo del rey, el que se fue a consumar un viaje incompleto.

LA SOBERBIA DEL GUERRERO

Dice Ogún, el dueño de las armas, que el que pelea, sabe lo que es la guerra.

Cesto era un guerrero de la ciudad de Ikoyi. Eleguá, el tentador, le dijo que debía ofrecer un sacrificio para que no estuviera indefenso si se metía en problemas. El jefe de Ikoyi también debía hacer una ofrenda.

-Jefe de Ikoyi, le dijo Eleguá, -ofrécele al monte dinero, plumas, cestos, güiros, ñames, jutías y la ropa que llevas puesta, para que puedas regresar ileso de la guerra que vas a emprender. Y el jefe lo obedeció.

Sin embargo, el Cesto le dijo a Eleguá que era un mentiroso y un ladrón. -¿Qué flecha o qué arma puede herirme a mí, el más poderoso de los guerreros de Ikoyi?

Cesto miraba al cielo con desprecio, como quien nunca moriría. Y así fue a la guerra.

El primer proyectil que se disparó, hirió al Cesto. La primera flecha que salió de un arco, atravesó su cuerpo. Sus compañeros trataron de ayudarlo, pero todo fue en vano.

En cambio, el jefe de Ikoyi y el resto de los guerreros, regresaron sanos y salvos a la ciudad.

La guerra mató al Cesto. Gente de Ikoyi, regresen a sus casas, dice el caracol.

La Ciudad de Obatalá

Dice Yemayá, compañera de Obatalá, el dios de la pureza, que no te dejes amilanar por los insultos, porque detrás vendrá una bendición.

Obatalá se transformó para venir a la tierra y ver el trabajo que sus hijos estaban realizando en Ifón. Pero antes, ofreció en sacrificio tela blanca, plumas y babosas. Elegua le entregó un bastón de plomo y ropa blanca, su preferida, para que usara en la tierra.

-Babá, te vas a encontrar con 3 personas en el camino que te van a faltar el respeto, le advirtió Eleguá. -Pero no pierdas la paciencia y hazle caso a lo que diga tu esposa, le aconsejó.

Ya en la tierra, Obatalá se encontró a una vendedora de aceite de corojo, cerca de la ciudad de Ifón. -Padre, ayúdame a poner este aceite en el piso, le pidio la mujer.

-Yo te ayudo, le dijo Yemayá, esposa de Obatalá. -No, contestó la vendedora. -Quiero que sea el propio Babá quien lo haga. Y cuando Obatalá comenzó a bajar las vasijas, el aceite de corojo -tabú para el oricha- le salpicó la ropa. Indignado, estuvo a punto de protestar, pero rápidamente Yemaya le entregó otro manto blanco para que se cambiara.

Más adelante se encontraron con un vendedor de madera de ébano. -Padre, ayúdame a acomodar estos leños en el suelo, pidió.

De nuevo Yemayá se ofreció a hacerlo, pero el vendedor prefirió que fuera Babá quien lo ayudara. Y mientras le prestaba el servicio, la madera le ensució el traje al dios de la pulcritud.

-No protestes, le aconsejó Yemaya, -acuérdate de lo que te dijeron. Y la pareja siguió su camino hasta llegar a las puertas de Ifón.

Cuando iban a entrar en la ciudad, una vendedora de aceite de maíz se les acercó, con el mismo ruego para Obatalá. Una vez más, el traje de Babá quedó todo manchado al prestarle ayuda a la mujer. Pero Yemayá tenía otra muda de ropa que le dio de inmediato.

Una vez dentro del pueblo, Obatalá preguntó dónde estaba su hijo. -¿Quién es tu hijo?, indagó la gente. -Se llama Oricha el Grande, respondió.

Y se formó el revuelo. -¡Babá está llamando al rey por su nombre!, gritaban todos en el pueblo.

Cuando Oricha el Grande vio a Obatalá, se dio cuenta que era un espíritu. -¿Qué buscas, Padre?, le preguntó. Y Obatalá le dijo que reuniera todos los animales de pluma y las babosas que pudiera encontrar.

El rey dio la orden a sus súbditos y éstos le preguntaron para qué los quería.

-Son para agasajar a la persona que me creó, contestó Oricha el Grande.

Cuando tuvieron la ofrenda lista, Obatalá les dijo: -Todo lo que el rey quiera darme a mí, úsenlo ustedes como sacrificio. Este lugar se conocerá como el reino de Obatalá.

Después Babá se marchó de Ifón, dejando a sus hijos felices, en una ciudad consagrada a su nombre.

Dice el caracol que quien anda apurado hace bailar el trompo. La serpiente se mueve sinuosamente hacia arriba y hacia abajo para subir la mata de coco.

La cabeza es la que lleva al cuerpo

EYIOGBE (8)

Obatalá, Rey Paciente

Dice Oke, mensajero de Obatalá, rey paciente, que hay que saber esperar. A veces por precipitarse y ponerle fin antes de tiempo a una situación difícil, se pierde una bendición.

Obatalá no pensaba en la incomodidad. Cuando cosechaba, sus compañeros comían con él. En la casa él era quien limpiaba y arreglaba.

Ocho socios de negocio vivían en la misma casa. Obatalá era quien compraba y vendía, pero todos compartían las ganancias. A Babá le daban cualquier cantidad que ellos estimaban conveniente, y él nunca protestó.

Después de un tiempo, el primer socio se fue, y más tarde se marcharon uno a uno los demás.

Sólo Obatalá, quien no pensaba en el sufrimiento, se quedó. Reunió las cosas que habían dejado sus compañeros y se hizo rico.

Dice el caracol que un bosque cerca del pueblo recoge basura. Una sociedad acarrea sufrimientos. Un cuarto compartido desarrolla gusanos.

La Muerte y la Serpiente

Dice Orula-Ifá, el sabio, que la mezquindad enferma el cuerpo y el alma.

Eleguá le dijo a Ikú, la Muerte, que debía ofrecer un manto teñido pálidamente, dinero, una paloma, una jutía y un azadón roto, como sacrificio contra las pequeñas enfermedades.

Ikú ofreció el dinero y la jutía, pero no sacrificó ni el azadón roto ni el manto ni la paloma. La cantidad de la ofrenda no le permitió levantarse.

Cuando trataba de coger un ñame de la mata, Eleguá llamaba a los campesinos y ellos empujaban a Ikú dentro del surco, con el azadón roto que no quiso ofrecer.

Y la enfermedad la visitó.

Cuando empezó a llover, volvió a levantarse, pero después de un tiempo, la tumbaban de nuevo con el azadón y volvía a enfermarse.

Ikú no murió, pero la enfermedad no le permitió disfrutar la vida.

...

La Serpiente quería vivir erguida. Eleguá le dijo que debía ofrecer en sacrificio la ropa de gran colorido que llevaba puesta, pero tampoco quiso hacerlo. Por eso se arrastra sobre su pecho.

134

Cuando llega el fin de cada año, cuenta el caracol, la Serpiente se quita la ropa y la abandona, pero como no se la quiso ofrecer a Eleguá, en pago por su consulta, nunca podrá pararse.

EL HIJO MALAGRADECIDO

Dice Orula-Ifá, el que descifra los destinos, que a veces perdemos el rumbo y sólo pasando por una prueba muy dura volvemos a recuperar el camino.

Obatalá quería que su hijo lo sirviese sólo a él. Pero poco tiempo después, el muchacho se fue al monte y no se ocupó más de Babá.

Obatalá le tendió una celada. El hijo cayó en la trampa y no pudo volver a caminar. No pudo volver a vender ni adivinar.

Orula le dijo que debía ponerse en manos de Obatalá. Confiar en él plenamente.

Babá le dio un punzón y le dijo que trabajara con él. Y a pesar de que ya no podía caminar, el hijo se volvió un gran artesano sentado en su estera.

Dice el caracol que debemos servir a Obatalá fielmente.

LA PROTECCIÓN DE OBATALÁ

Dice Oke, la montaña, que quien le pertenece a Obatalá, el mayor de los dioses, nada puede perturbarlo.

Lajumi estaba preocupado. ¿Podría llegar a ser feliz alguna vez?, se preguntaba.

Orula-Ifá, el dueño del tablero, le dijo que debía ofrecerle a Obatalá dinero, plumas y un manto blanco.

Cuando terminó la ofrenda, el adivino le pidió que fuera donde estaba Babá y le rindiera homenaje, y Lajumi se dedicó a servir al dios de la justicia.

Desde ese momento, todo lo que hacía Lajumi se completaba en el día. Nadie lo molestaba. No sufría. Nadie peleaba con él. Su vida era agradable. La gente lo consentía, lo mimaba. Su destino estaba en orden.

-No me pegues, mira mi cuerpo cubierto con el manto de Obatalá, cantaba suavemente Lajumi.

Dice el caracol que Babá nunca permitirá que el sufrimiento destruya a sus hijos.

La Tierra, el Fuego y la Oscuridad

C uenta Egun, el muerto, que en el principio del mundo, la Oscuridad era una mujer, esposa de Fuego.

La Tierra la quería para sí. ¿Qué podía hacer para conseguirla? Ofreció dinero, un paño negro, plumas y dos jutías.

Después de un tiempo, la Tierra se adueñó de la Oscuridad. Y si la Oscuridad veía venir al Fuego, retrocedía.

El Fuego la buscó y la buscó, pero al poco rato se cansó y abandonó la búsqueda.

La Tierra se apoderó de la Oscuridad, se la arrebató al Fuego.

-Te busco y te busco pero no puedo encontrarte; pregunto y pregunto pero no sé dónde has ido. Gracias a Eleguá supe dónde estabas, dice el caracol.

ORULA Y LOS 16 MALES

Cuenta Obatalá, el dios de los sentimientos profundos, que a Orula-Ifá le gustan los proyectos difíciles. Usando su inteligencia y buena voluntad, sale airoso de los retos más peligrosos. Sin que le tiemble la mano. Por eso es inmortal.

Ifá decidió establecerse en el vecindario donde vivían la Muerte, la Enfermedad, la Guerra, los 16 Males que pueblan la tierra.

Antes de partir, ofreció a los orichas dinero, plumas y la ropa que llevaba puesta, para que su aventura tuviera un final feliz.

La Muerte fue a conocerlo, con muy malas intenciones.

Orula la invitó a sentarse y le ofreció comida y bebida en abundancia. Cuando se disponía a partir, Ifá le regaló un pollo de despedida.

Cuando la Muerte regresó a su casa, la Enfermedad, la Guerra, las Pérdidas y los Problemas, salieron ansiosos a recibirle.

-Creo que nos debemos retirar un poco, les dijo la Muerte.

-¡Cómo!, exclamó incrédula la Enfermedad. -Pero, ¿no ibas a matarlo? Entonces iremos nosotros a completar el trabajo que tú no has querido hacer.

139

Cuando los 16 Males fueron a visitar a Orula, planeando su destrucción, Ifá los invitó a comer y a beber, y le regaló un vestido a la Enfemedad, que estaba desnuda.

-¿Por qué te portas así con nosotros?, le preguntó la Enfemedad. -¿Alguien te ha dicho lo que queremos hacer?

-No sé de qué me hablas, replicó Orula. -He hecho con ustedes lo que acostumbro hacer siempre con cualquiera.

Entonces, los 16 Males se presentaron uno a uno. -No te vamos a hacer daño por ahora, prometieron. -Pero sabrás de nosotros con frecuencia.

Desde ese momento, cuando alguien está enfermo o destruido por los problemas, llama a Ifá para que lo rescate, y los Males se alejan dejándolo en paz.

Dice el caracol que todos los Males del mundo perdonaron a Orula.

APRENDIZ DE SABIO

Cuenta el caracol que, "Enséñame a adivinar", "Enséñame a aplacar a los dioses" y "Enséñame a prescribir sacrificios", fueron los adivinos que aconsejaron a "Si vivo, seré rico", hijo del Dueño de la Tierra Recién Creada, nieto del Dueño de Todas las Cosas, y biznieto del Dueño de la Existencia...

Le dijeron que no debía ser codicioso y que sirviera a sus mayores. Y así lo hizo.

Con cada uno de los 16 Mayores vivió 8 años, y aprendió de ellos su sabiduría. Los sirvió como un niño y siguió fielmente sus instrucciones.

Cuando terminó su aprendizaje, los Mayores le dijeron que regresara a su casa, a ocupar el puesto de heredero de su padre. Toda la sabiduría que había aprendido a través de los años la transformó en riqueza, y su vida transcurrió placenteramente.

Le enseñaron que no necesitaba de las chivas ni los pollos, que no persiguiera el dinero. La sabiduría es todo lo que busca, dice el caracol.

ELEGUÁ Y LOS 3,200 DIOSES

Cuenta el caracol que en el principio del mundo, 3,200 dioses se preparaban para ir a la casa de su padre a recibir sus poderes.

Eleguá no tenía ni finca, ni río, ni trabajo, así que fue el primero en llegar a casa del padre, y se lo encontró esculpiendo a los hombres. Se dedicó a ayudarlo y permaneció a su lado 16 años.

Cuando los otros dioses llegaban, generalmente se quedaban con el padre de 4 a 8 días y después se iban.

Eleguá no se fue. Aprendió de su padre a hacer manos y pies, bocas y ojos. Lo aprendió todo.

Después, su padre lo mandó a sentarse en la encrucijada. -El que quiera venir a verme, tiene que darte algo a ti primero, si no, no lo dejas pasar, le ordenó.

Todos tenían que compartir con Eleguá algo de lo que su padre les había dado, al regresar de la visita.

Por eso Eleguá es más grande que todos sus hermanos mayores.

Dice el caracol que los perezosos viven de su conocimiento y sólo los tontos no saben manejar sus asuntos.

El Sacrificio de Orula

Dice Obatalá que a veces para hacer un bien y recibir un bien hay que pasar por un trago amargo...

Como Orula-Ifá, el adivino mayor, cuando quería iniciar a Eleguá, pero no tenía dinero.

La única forma de hacerlo era pidiendo prestado, así que tuvo que dejar a su hijo Amosu en prenda, trabajando para el acreedor que le dio el préstamo.

Después de la iniciación, cuando Eleguá visitaba la casa de algún rey que tenía al hijo enfermo, le indicaba que llamara a Orula, y el niño se recuperaba.

Cuando Ifá terminó de adivinar para todos los reyes, tenía mucho dinero. Pudo rescatar a su hijo y comprarse un caballo.

Dice el caracol que si no soportas el sufrimiento capaz de llenar una cesta, no recibirás la bondad que cabe en una taza.

El Mercado del Dolor

Dice Obatalá que si quieres lograr algo que valga la pena en la vida, no huyas de nada que requiera paciencia. Los atajos y vivezas no conducen a la meta deseada.

Orula-Ifá se preparó para ir al mercado que tenía por nombre "Soportar el Sufrimiento", porque estaba lleno de dolor, pero la persona que lograra ir allí 3 veces, salía cargado de riqueza.

Ifá lo logró, postrándose humildemente ante la Chiva, que cuidaba las puertas del mercado.

Obatalá le dijo que él también pasaría la prueba. -Yo tuve suficiente paciencia para crearte, Orula, no creo que en este caso tú tengas más que yo. Babá también visitó 3 veces el mercado, pagándole a la Babosa el peaje establecido.

Después, Ogún dijo que quería ir, pero le contestaron que él no podía, porque era tabú entrar en el mercado del dolor con una espada y un garrote, y él nunca se separaba de ellos.

Ogún dijo que dejaría las armas para poder entrar, pero en realidad las escondió muy bien entre su ropa.

El Perro estaba custodiando la puerta en esta ocasión. Y en lugar de saludarlo humildemente como Orula, y de pagarle el peaje como Obatalá, sacó su espada sorpresivamente y le cortó la cabeza. Todo el mundo empezo a gritar: -¡Ha matado al guardián de la entrada!

Eleguá le infundió un gran temor por el acto que había cometido y Ogún se internó corriendo en el monte. Su ropa quedó destrozada por la maleza y las espinas.

Cuenta el caracol que para poder regresar a su casa, se cubrió con marabú, pero nunca más pudo descansar tranquilo.

IFÁ, LA RIQUEZA Y LA CABEZA

Dice Obatalá, creador de la inteligencia, que la Cabeza es la única que te puede hacer rey. Hasta que no te das cuenta de eso, vives la vida dándole crédito a todo lo externo, sin conocer la fuente y la fuerza de tu destino.

Orula-Ifá quería casarse con Riqueza, pero era pobre. Para poder conquistarla, le ofreció a su Cabeza dinero, plumas, una jutía, comida y bebida.

Después de un tiempo, Riqueza accedió a casarse con Ifá, y éste dejó de ser pobre. Todo el mundo lo buscaba, lo invitaban a cenar, a beber, a bailar. Cuando llegaba de una fiesta, venía cantando: -No existe un rincón de la tierra donde no conozcan a Ifá. Orula hace un hombre de un niño.

Riqueza se molestó. Le disgustaba que no le diera crédito a ella, que lo había sacado de la pobreza. Solamente se alababa a sí mismo.

Ifá fue a consultar a Eleguá para contentar a su esposa. El oricha juguetón le dijo que debía ensalzar a quien lo había hecho rico.

-Es cierto reflexionó Orula, y llegó a la casa cantando: -No hay lugar en la tierra donde la Riqueza no sea conocida. La Riqueza hace un hombre de un niño.

Pero su Cabeza lo interrumpió: -¡No digas tonterías! ¿Habrías podido casarte con Riqueza si yo no te hubiera guiado?

Ifá volvió a consultar a Eleguá. -Te dije que le dieras crédito a quien te había hecho rico, le amonestó el tentador de los hombres.

Por fin, Orula cayó en cuenta y regresó cantando: -No existe un lugar de la tierra donde la Cabeza no sea conocida. ¡La Cabeza es la que hace un hombre de un niño!

-¡Al fin!, dijo la Cabeza. Y cuenta el caracol que desde ese momento, Ifá aprendió a disfrutar verdaderamente la vida.

La Reina de las Aguas

Dice Obatalá que no debemos dejarnos intimidar por el sufrimiento, ni asustar por los insultos. Después del dolor y del maltrato, llegan las bendiciones.

Olocun, el inquieto mar, quería aventajar a todas las demás aguas y ofreció en sacrificio dinero, plumas y un vestido blanco como la espuma.

Un torrente de agua recogió toda la basura y las sobras de la tierra y las echó en el mar. Eleguá le dijo que no se amilanara por el desprecio que implicaba esa acción.

Olocun recibió pacientemente, una y otra vez, los desechos y despojos que los ríos arrojaban en su seno. Y se fue haciendo cada vez más grande, hasta que ningún río pudo compararse con el océano.

Cuenta el caracol que en pago de su paciencia, Olocun llegó a ser la reina de las aguas.

Lo que se deja atrás, atrás se queda

OSÁ (9)

El Destino de Orichaoco

Cuenta Oyá, dueña de la puerta del cementerio, que Orichaoco le preguntó al pícaro Eleguá qué debía hacer para que su vida fuera placentera, cuando estaba a punto de irse al monte a buscar liderazgo.

-No debes ser egoísta, le contestó el que todo lo sabe. -En lugar de vender el primer animal que caces en el monte, haz con él una fiesta, invita a tus amigos, y así conseguirás todo lo que deseas.

Cuando Orichaoco llegó al monte, mató un antílope y lo cocinó para sus amigos. Desde entonces, todos los que quieren tener hijos, todos los que están enfermos, recurren a Orichaoco y él los cura con agua fría.

Orichaoco se convirtió en una persona importante, alguien a quien los demás sirven. Cuenta el caracol que logró estabilidad en la vida y pudo descansar al fin.

El Carnero y el Alfarero

Dice Oyá, diosa de las tormentas, que tu mejor amigo es tu peor enemigo. Hay que aprender a cuidarse de la falsedad y la traición con prudencia, y siguiendo el consejo de los muertos.

Brisa suave, adivina de la tierra; Viento huracanado, adivino del cielo; Cepa del árbol, adivina de la vera del camino; Enredadera de parra, adivina de los que viven en el monte; todos ellos consultaron al Alfarero.

Le dijeron que si alguien lo llamaba al patio de su casa, no debía contestar; que si alguien le ofrecía cocos no los debía aceptar. Y le pusieron unas manillas de cobre como protección.

El Alfarero y el Carnero eran amigos. Pero cuando el Carnero consultó al rey, le dijo que debía ofrecer en sacrificio al Alfarero.

-¿Y cómo encuentro al Alfarero?, replicó el rey. -No se preocupe, le dijo el Carnero. Entrégueme unos cocos y una tinaja con tapa. El Alfarero es mi amigo, y si yo lo llamo, él contestará.

Cuando el Carnero llegó a casa del Alfarero, lo llamó desde el patio, pero el amigo no le contestó, solamente se le quedó mirando.

-¿Por qué no me contestas?, le preguntó el Carnero.

-Yo pensé que tú sabías que yo no podía contestarle a nadie que me llamara, replicó el Alfarero.

-Pero te traje estos cocos de regalo, insistió el Carnero.

-Pensé que tú sabías que me habían prohibido aceptar cocos, aclaró el Alfarero.

-¿Ni siquiera los de tu amigo?, preguntó el taimado Carnero.

El Alfarero, cediendo, se acercó a la tinaja, y cuando estaba a punto de tomar un coco, el Carnero lo atrapó, lo encerró en la tinaja y salió corriendo con él a a cuestas.

-Empieza a recitar el conjuro, le dijo Eleguá al Alfarero. "Brisa suave, adivina de la tierra; Viento huracanado adivino del cielo; Cepa del árbol, adivina de la vera del camino; Enredadera de parra, adivina de los que viven en el bosque; ¿ven al gran Carnero que me está llevando al rey?"

Enseguida llegó el Viento, cargó con el Carnero y lo tiró contra la Cepa del árbol a la orilla del camino. La tinaja se abrió, dejando al Alfarero en libertad. Antes que su carcelero se recuperara del golpe, rompió sus manillas de cobre y las metió dentro de ia tinaja, volviéndola a cerrar.

Cuando finalmente el Carnero se despertó, sacudió la tinaja, sonaron las manillas y quedó convencido que el Alfarero todavía estaba dentro.

El rey no podía ver el cobre, y cobre era lo que el Carnero llevaba consigo cuando llegó a palacio.

Dice el caracol que un amigo que traiciona a su amigo, se traiciona a sí mismo.

Cuando el Carnero se presentó ante el rey le dijo:
-Si no encuentra al Alfarero en la tinaja, desenfunde la espada y no vuelva a guardarla hasta hacerme desaparecer.

Pero cuando destaparon la tinaja, encontraron sólo cobre.

-¡Deténganlo!, ordenó el soberano, pero el Carnero se defendía dando coces, hasta que mató a Eta, el hijo del rey, de una patada en los testículos.

-¡Mátenlo!, clamó el monarca.

Así nació la costumbre de matar carneros en los ritos funerarios. El Carnero, que mató al hijo del rey, se convirtió en carne de sacrificio.

Dice el caracol que el gran Carnero se mató a sí mismo con su comportamiento.

Sabiduría y Conocimiento

Cuenta Agayú, señor de los volcanes, que en el principio del mundo se recibían las bendiciones de los orichas a través de los cocos.

Sabiduría y Conocimiento tomaron el mismo coco. Sabiduría le hizo una petición, pero no le dijo cuál a Conocimiento.

Sabiduría era Orula-Ifá y Conocimiento, Ochún.

Sabiduría le había preguntado al coco qué debía hacer para que Ochún fuera suya, y Conocimiento le pidió lo mismo de Orula. Pero cada cual mantuvo en secreto su deseo.

Dejaron el coco y fueron a ver a Ochosi. Igual que el asistente del rey de Oyo, Ochosi, portavoz de Obatalá, selecciona a los que quieren ver al primero de los orichas.

-¿Está Babá descansando?, le preguntaron. -Sí, contestó Ochosi.

-Queremos saber la respuesta del coco, insistieron, pero Ochosi les dijo que Obatalá estaba ocupado.

Sin embargo, el dueño de las cabezas había oído toda la conversación, y cuando se retiraban los llamó para que regresaran.

-Sabiduría, le dijo a Orula, -tráeme la cuerda que tienes en la mano, y volviéndose a Ochún, le hizo la misma petición.

-Lo que ambos pidieron se les concederá, les dijo Babá atándolos con una cuerda de seda, -pero no pueden tomar a nadie más.

Y cuenta el caracol que así fue como se casaron la Sabiduría y el Conocimiento. Después, bajaron a la tierra y disfrutaron mucho. Cada uno fue bueno con el otro y su vida resultó sabrosa como la sal.

LOS HIJOS DE OYÁ

Cuenta Egun, el muerto, que el pequeño Arbusto de Pimienta, el que viene a la tierra y nunca se marchita, adivinó para Oyá, cuando la diosa guerrera quiso tener hijos.

Oyá ofreció en sacrificio dinero, un paño de 9 colores y carne de carnero. La Pimienta le preparó esa carne y se la dio a comer. A los 9 días, la dueña de la centella parió 9 hijos pequeños en zurrón, convirtiéndose en Yansán, madre de 9.

Cuenta el caracol que Oyá no volvió a comer carnero nunca más, en respeto a la carne que le había permitido ser madre.

EL HIJO ALARDOSO

D ice Oyá, la de la falda de 9 colores, que los enemigos de afuera no son tan malos como los que viven en casa. Los más cercanos son los que pueden hacer verdadero daño.

Afala era un muchacho fanfarrón. Le gustaba jugar con fuego y hacía alarde de todo. Un día empezó a decir que él podía lavar un paño negro y volverlo blanco.

La gente de su casa, después de oírlo jactarse de semejante locura, fue a ver al rey para contarle lo que Afala decía que podía hacer.

El rey dijo que se lo probara. Le dio un paño negro, dinero, y lo mandó al río con testigos.

Mientras tanto, la madre de Afala se dio cuenta del apuro en que estaba su hijo y decidió ayudarlo. Tomó el dinero que le quedaba y fue a consultar a Eleguá. El adivino le dijo que sacrificara algunas monedas, plumas, un paño blanco y una jutía.

Eleguá puso la jutía sobre la jícara donde estaba la ofrenda, la cubrío con el paño blanco y le dijo a la atribulada madre que la llevara al río, donde el hijo estaba sudando tinta por hablador.

Cuando llegó cerca de los testigos que había enviado el rey para vigilar a Afala, puso el sacrificio en el suelo e inmediatamente la jutía saltó a la tierra. Los testigos se distrajeron y empezaron a perseguirla.

La madre aprovechó la confusión y le cambió el paño negro por el blanco al hijo, que continuaba lavando en al río.

Cuando regresaron los testigos, vieron al muchacho con el paño blanco en las manos. -¡Suficiente!, dijeron, y fueron a informarle al rey, quien le dio una recompensa a Afala.

Cuenta el caracol que gracias a su madre, Afala escapó del peligro.

DESTINO INDEPENDIENTE

Dice Oyá que la inexperiencia y la soberbia pueden ser malas consejeras...

Como le pasó a Destino, a quien Obatalá, el buen padre, había comprado como esclavo y había enseñado a trabajar.

Al poco tiempo de estar junto a él, Destino le dijo a Babá que quería hacer un corto viaje, y que estaría de vuelta en 9 días. Pero no regresó sino 18 meses después.

-¿Qué pasó?, le preguntó Obatalá.

-Si un joven es suficientemente adulto para ganar un salario, debe ser independiente, le contestó Destino.

-Comprendo, le dijo Babá. Y Destino empezó a trabajar por su cuenta.

Se enfermó de la vista, de los oídos, de los pies, y nada de lo que hacía le salía bien. Entonces, reunió algún dinero y se fue a ver a Eleguá para que le explicara lo que estaba pasando.

El maestro de los hombres le dijo que fuera a disculparse con Obatalá, porque había sido muy insolente, y que ofreciera un sacrifico de dinero, plumas y 2 cocos para que Babá lo perdonara.

Cuando Destino llegó a la casa, se echó a los pies del padre, diciéndole cuánto lo quería.

Elegua se acercó y le susurró a Obatalá al oído que el sentimiento del muchacho era sincero, que aceptara sus excusas.

Cuenta el caracol que Obatalá perdonó a Destino, que desde ese momento se enderezó para siempre.

El mono ni de su misma cola se fía

OFÚN (10)

La Araña Mágica

Cuenta Egun, el invisible, que el camino espiritual es secreto y silencioso. Sólo se conoce por sus frutos.

La Araña, una de las mensajeras de Obatalá, después de consultarse ofreció en sacrificio una gallina blanca, y Babá la llenó de bendiciones.

La Araña trabaja a medida que avanza, dondequiera que va. Nadie la ve tejer. Nadie sabe como maneja sus hilos. Lo hace mágicamente.

Dice el caracol que se ha vuelto divina.

LA SABIDURÍA DE ORULA

Dice Obatalá, el dios sereno, que sin sabiduría no podemos aprender a curar. Si no sabemos sanar, no podemos curar enfermedades serias. Si no podemos curar enfermedades serias, no podemos ganar riquezas. Sin riqueza, no podemos hacer grandes cosas. La sabiduría es la clave para adquirir más sabiduría.

Orula-Ifá, el compañero de la humildad, iba al pueblo de Ila a adivinar. Nunca antes había estado allí y para que le fuera bien en su misión, ofreció un sacrificio.

En el camino, Orula se encontró a unos campesinos trabajando y paró a saludarlos. Les preguntó por dónde se llegaba a Ila, y uno de ellos se ofreció a llevarlo hasta allí. Poniendo a un lado su azadón, le indicó a Orula que lo siguiera.

El campesino lo llevó a su casa y le dijo que pasara. Planeaba engañarlo. Cerro la puerta inmediatamente y le pidió a Orula que esperara en el patio.

Mientras tanto, fue a ver a su jefe y le contó que se había apoderado de un esclavo, que se le había acercado en el campo. -No hubo lucha ni emboscada; Olodumare, Dios, me lo envió, mintió el campesino.

El jefe le contestó: -El rey es quien puede aceptar cosas extrañas. Llévaselo a él. Y llevaron a Orula ante el rey de Ila.

Iban a amarrarlo, pero Ifá dijo que no hacía falta, que se quedaba con su amo. Y desde ese momento, dondequiera que su amo lo mandaba, iba sin intentar escapar.

Por la mañana enviaban a Orula a traer madera y él obedecía. Lo mandaban a recoger hierbas, agua del río y frutos de la palma. Ifá obedecía siempre.

Cuando Orula salió de su casa -antes de convertirse en esclavo- olvidó llevarse consigo su tablero de adivino. Por eso, cuando salía a trabajar, se dedicaba a buscar semillas de palma de cuatro ojos. Poco a poco reunió las 16 que le hacían falta para completar su tablero, y las lavó con toda clase de hojas para volverlas mágicas.

Cierto día, el primogénito del rey de Ila iba a salir y le pidió que ensillara su caballo. Orula miró la sombra del príncipe y procedió a adivinar su suerte secretamente. Cuando terminó, cubrió el signo con una vasija para que nadie lo viera.

El príncipe montó su caballo y los tambores empezaron a sonar. Iba a visitar a un amigo que lo recibió hipócritamente con comida, bebida y alabanzas.

Cuando el primogénito del rey de Ila estaba listo para regresar, Orula -desde el palacio- empezó a recitar el verso del signo que había sacado.

El príncipe se desmayó. Trataron de revivirlo pero no pudieron. Lo llamaron y no respondía. Lo habían hechizado. Muy despacio se lo llevaron de regreso a casa.

Mientras tanto, Orula había salido al campo a buscar pasto para el caballo. Cuando regresó, le contaron lo que había sucedido con el primogénito y decidió ir a verlo.

Ifá le dijo al rey que preparara un trono y dividiera en dos las pertenencias de su hijo. La mitad debía ponerla junto al trono. También le informó que todas las propiedades del rey debían dividirse y dejar la mitad junto al trono. Lo mismo le pidió que hiciera con las mujeres.

Orula empezó a alimentar al príncipe. Lo llamó y éste le contestó. Le preguntó qué quería comer y el primogénito le pidió atole de maicena. Además dijo que le trajeran agua para bañarse.

Cuando terminó de bañarse, completamente repuesto, se dirigió a su padre, el rey: -Padre, este hombre que ha sido nuestro sirviente no es un esclavo, es un rey. Ha roto todos los hechizos con los que me habían atado. Debe recibir el trato de Majestad. Y acercándose a Orula, le pidió que se sentara en el trono y le ofreció una corona.

Cuenta el caracol que desde ese momento hubo dos reyes en Ila.

Sólo el coco conoce el gusano que tiene dentro

OJUANI (11)

NACIMIENTO DE ELEGUÁ

Dice el caracol, que cuando Obatalá, el padre de los dioses, iba a crear a Eleguá, los orichas le advirtieron que ese niño intentaría superarlo en todo.

-No va a querer trabajar y vivirá en la ciudad, no en el monte. Pero se hará de un gran nombre, dijeron a coro los orichas, sus hermanos.

-¿Deberé engendrarlo entonces?, preguntó.

-Sí, debes darle la vida, pero será holgazán y te arrebatará el mundo si no andas con cuidado, le contestaron sus hijos.

Obatalá hizo un sacrificio para que todo saliera bien con ese niño tremendo que estaba a punto de nacer. Ofreció dinero, plumas y un bastón.

La chiva de Obatalá hechizó el bastón de la ofrenda y se lo regaló al niño recién nacido, que imitaba a su padre en todo desde la cuna. Eleguá se entregó al pasatiempo de tallar bastones y con ellos superó a todos en la tierra.

El maíz no es humano. ¿Han visto niños en la espalda de la hierba?, pregunta el caracol.

CARENCIA Y SUS DOS MARIDOS

Dice Eleguá, el adivino, que el rey Oyo Ajori fue a visitarlo para ofrecer un sacrificio por el hijo que le iba a nacer. El más chiquito de los dioses le aconsejó que hiciera una ofrenda de dinero, plumas y un manto multicolor, y le dijo: -Vas a tener una niña, que debes llamar Carencia y no dársela a nadie en matrimonio.

Nació su primogénita, y el orgulloso padre la cuidó con esmero año tras año, hasta que se conviertió en una bella mujer.

Un día, el rey le dijo al jefe de Ejigbo que le daría a Carencia en matrimonio, olvidando la promesa que le había hecho a Eleguá. Le entregó un elegante manto y mucho dinero para que comprara todo lo necesario para la boda.

Llamó a su hija, le dio también gran cantidad de dinero y le dijo que se preparara para casarse en 11 días.

Cuando llegó el momento, una comitiva formada por sus esclavas y los esclavos de su padre, blandiendo espadas y garrotes, encabezó el cortejo nupcial que llevaría a Carencia hasta la casa de su esposo.

Los tambores del jefe de Ejigbo recibieron a la novia a su llegada, mientras ella cantaba: -Si destruyen esta casa, le cocinaré sus vegetales favoritos al jefe, mi esposo.

Antes que terminara su canto, sus esclavos habían destruido el lugar.

Cuando la comitiva llegó al mercado, ella empezó a cantar de nuevo: -Si destruyen toda la mercancía, iré rápido a encontrarme con el jefe de Ejigbo, mi esposo, y le cocinaré su comida favorita.

Antes de completar su petición, el mercado, con todo su contenido, había desaparecido bajo los garrotes de los eficientes servidores.

En el jardín del palacio, había un hermoso árbol que pertenecía a Ogún, donde el jefe de Ejigbo le sacrificaba al dios del progreso. De nuevo Carencia empezó a cantar: -Tumben ese árbol e iré corriendo a encontrarme con mi esposo para prepararle una suculenta cena. Y nuevamente, sus deseos fueron órdenes.

En ese momento, el jefe de Ejigbo salió a recibir a su esposa, y ella empezó a cantar: -Tumben a esa persona, y cocinaré unos vegetales deliciosos para mi esposo. Antes de finalizar, el jefe de Ejigbo yacía muerto en el piso.

La noticia corrió por toda la comarca y el rey de Oyo Ajori mandó a buscar a su hija.

Pasó algún tiempo, y los súbditos del rey le aconsejaron dar a Carencia en matrimonio al hermano menor del jefe de Ejigbo.

Cuando el nuevo novio se enteró que su prometida estaba llegando, entró en su casa y se escondió. No permitió que ella lo viera hasta el día siguiente.

Cuenta el caracol que desde ese día, la novia no se encuentra con el esposo en su casa, y el hermano menor se queda con la mujer del mayor cuando éste muere.

173

-¿Qué quieres?, le preguntó el joven esposo a Carencia.

-Todo lo que tengas, le contestó la muchacha, que encontraba la vida más dulce que la miel.

Desde ese momento, jóvenes y viejos le venían a comprar de todo a la hija del rey.

Cuando hay carencia de dinero, buscamos dinero. Cuando escasea el agua, esperamos al pie del manantial. Cuando la comida es insuficiente, le llamamos hambruna, dice el caracol.

LA GENEROSIDAD SALVA

Dice Eleguá que hay que preguntar por el camino a los viajeros que quedan rezagados. Oír sus consejos, para aprender a conocer el mundo, para alcanzar la bendición de un vida larga y agradable.

Molo era la concubina de Alapinni, el sacerdote principal de Egun, el Muerto.

Alapinni puso a secar los ropajes de Egun en el patio de su casa, antes de salir ese día. Al poco tiempo, empezó a llover y Molo, preocupada, recogió la ropa y la metió -con los ojos cerrados- en la cámara prohibida.

Terminando de hacerlo, llegó corriendo el sacerdote. -¿Quién recogió la ropa?, preguntó indignado.

-Yo fui, le contestó su concubina.

-¡Aja! Antes de los 11 días, morirás. Te enviaré como sacrificio al Bosque de los Muertos en Igbale, gritó Alapinni, frenético.

-¿Y me pagas con la muerte mi ayuda?, respondió incrédula la concubina, que secretamente fue a consultarse con Eleguá. El que conoce a los hombres le dijo que ofreciera 11 porciones de atole de maíz, 11 frituras, 11 tazas de cerveza, una cinta roja y una red.

Eleguá tomó su pequeña ofrenda y convirtió las porciones de atole en 11 cestas llenas del manjar; las

175

frituras en 11 platos repletos; las tazas en 11 jícaras rebosantes de cerveza. Y cargó con todo para Igbale.

Los sacerdotes de Egun habían llegado al Bosque de los Muertos con mucha hambre. Comieron y bebieron hasta saciarse del banquete que les había servido Eleguá.

Cuando estaban hartos, uno del grupo preguntó:
-¿Cuándo vamos a sacrificar a Molo?

-¿Y quién les hizo toda esta comida?, preguntó Eleguá, haciéndolos pensar.

Todos callaron. Después de un rato, Molo habló.
-Yo les preparé este banquete porque sabía que llegarían con hambre.

Los hombres se miraban unos a otros, hasta que el más viejo dijo: -Si alguien hace un bien, no se le debe pagar con la muerte. Y se retiraron todos, perdonándole la vida a la concublna.

La muerte no es para ti, Molo; la enfermedad tampoco, dice el caracol.

LA MUJER DE ORULA

Dice el caracol que la negativa del que rehúsa, es la aprobación del que acepta. En la mano derecha sostiene el sartén; las frituras en la izquierda.

Orula-Ifá reunió dinero, plumas, frituras y atole de maíz y se dirigió a Igbale, donde se hacía expiación y se llevaban a cabo los rituales al principio del mundo. Terminado el rito, los peregrinos comían juntos y regresaban a sus casas.

Pero Orula se quedó y empezó a adivinar para todas las mujeres de Igbale. Eleguá le había dicho que se enamoraría de una mujer casada y que su esposo se la entregaría.

Cuando Agón llegó a su casa, no encontró a su esposa Ere. Le preguntó a los vecinos y éstos le dijeron que había ido a consultarse con Ifá.

Cuando Ere regresó, el celoso Agón le dijo: -¿Qué puede haber visto Orula de importancia? La verdad es que te está haciendo el amor. No te quiero más conmigo. Empaca tus cosas y vete con Ifá.

En vano Ere intentó sacarlo de su error. Y como no podían llegar a un acuerdo, acudieron al rey para que oyera su caso. Entre otras cosas, Ere le contó al soberano que no había recibido ningún regalo de bodas de Agón. Y el marido aceptó que era cierto. -Ere, le dijo entonces el rey, -vete y cásate con el hombre que de verdad te quiere.

Y cuenta el caracol que la muchacha se fue libre al lado de Orula, que la recibió muy contento.

DESOBEDIENTE Y EL MUERTO

Dice el caracol que quien no oye consejos no llega a viejo. Rechazarlos, negarse a seguirlos es como beber de la Fuente de la Perdición.

Desobediente iba a hacer una finca por el sendero que conduce a Igbale, el monte de los muertos. Eleguá le advirtió que no se asentara en esa tierra, que le pertenecía a Egun, el Muerto, pero Desobediente no le hizo caso. Quería allí su finca.

Tiempo atrás, Egun había ofrecido un sacrificio para que la persona que llegara hasta allí, se quedara a servirlo.

Cuando Desobediente empezó a limpiar el monte con el azadón, le cortó la cabeza a Egun, que saliendo del fondo de la tierra empezó a cantar: -Tú conocías el tabú, ¿por qué lo rompiste? Estás paralizado, pero fuiste a comprar cerveza, ¿por qué lo hiciste? La cerveza es dulce, ¿por qué lo hiciste?

Desobediente permaneció en silencio. Desde ese momento no tuvo que labrar más la tierra. Eleguá lo cubrió con el ropaje de Egun. Cuenta el caracol que pasó a formar parte del Monte de los Muertos.

EL COCOTERO Y LA MUCHACHA

Dice el caracol que cuando la cerveza intoxica, el sol le pega al borracho. El daño que se le hizo a la levadura es el que ella devuelve. La gallina derramó mi medicina y yo le rompí los huevos.

Ojuani fue el primero en tener dinero al principio del mundo, y su mujer le dio una hija.

Eyiogbe sólo tenía cuentas de colores. Quería plantar un cocotero, pero no encontró nada con qué taparlo para protegerlo del sol y de las plagas. Entonces le pidió a Ojuani que le prestara una tinaja y cubrió con ella la mata.

Mágicamente, antes de los 11 días, el cocotero se llenó de frutos.

A los 11 años, Ojuani le pidió a Eyiogbe que le devolviera su tinaja. -¿Cómo?, le contestó Eyeúnle. -No se la puedo quitar ahora al cocotero, ya forma parte de él. Déjame comprarte otra.

Pero Ojuani insistió, diciéndole: -De la misma manera que se la pusiste, ahora se la quitas.

-¿Quieres que corte el árbol, cuando está cargado de frutos que todavía no han madurado?, preguntó angustiado Eyiogbe.

-¡Córtalo!, le contestó sin compasión el amigo.

Como no se ponían de acuerdo, fueron a ver al rey para que mediara en el dilema. El rey le dio la razón a

Ojuani, y a Eyiogbe no le quedó más remedio que cortar su cocotero para poderle devolver la tinaja a Ojuani.

El tiempo pasó, y llegó el momento en que Ojuani iba a entregar su hija en matrimonio. Pero no tenía cuentas para adornarla. Eyiogbe le dijo que le prestaría algunas, para que le hiciera un collar.

Pasaron los meses y la muchacha salió embarazada. Días antes de dar a luz, cuando el fruto de su vientre aún no había madurado, Eyiogbe le pidió a Ojuani sus cuentas de regreso.

Ojuani iba a quitale el collar a su hija, pero Eyeúnle lo atajó. -No quiero que le quites el collar. Las cuentas le pertenecen a su cuello, quiero que le cortes la cabeza.

De nuevo fueron ante el rey buscando su mediación. -Eyiogbe tiene razón esta vez, les dijo el soberano. -Tú mismo, Ojuani, sentaste el precedente. Igual que él tuvo que cortar el árbol antes que maduraran sus frutos, para devolverte la tinaja, tú tienes que cortarle el cuello a tu hija, antes que tenga el niño, para regresarle sus cuentas.

Y Ojuani tuvo que matar a su propia hija para saldar su deuda.

-Tú cometiste la mala acción primero; yo sólo te devuelvo lo que mereces, le dijo Eyiogbe. -No es maldad. Tú fuiste el primero en no tener misericordia; yo aprendí de tu ejemplo.

Dice el caracol que cuando alguien nos pide algo prestado, debemos tener paciencia en recuperarlo, porque no sabemos lo que Oloro Dios nos tiene deparado en el futuro.

La Mujer Estéril

D ice el caracol que quien tiene sabiduría puede adivinar con Ifá en el monte; y quien tiene conocimiento puede reírse en la pradera.

El sacerdote de Ogún era un cazador y Erelu, su mujer. Durante 16 años no tuvieron hijos. (La gente tenía paciencia cuando empezó el mundo).

Un día fueron a consultar a Eleguá, el que otorga las recompensas, quien les dijo que su hijo estaba en un lugar inhóspito, y para encontrarlo debían hacer una ofrenda de dinero, la ropa que llevaban puesta, plumas y un hacha.

Cuando cumplieron con los orichas, la pareja se puso en marcha hacia el lugar que les había señalado Eleguá, diciéndoles: -Cuando encuentren una mata de corojo junto a una ceiba, hagan un sacrificio. Allí hallarán a su hijo.

Después de muchos días de camino, vieron la mata de corojo con sus ramas entrelazando a la ceiba, y al pie de los dos arboles hicieron la ofrenda, tal como Eleguá les había indicado. Allí mismo construyeron su casa. El sacerdote de Ogún cazaba en el monte, mientras su esposa recogía leña para la hoguera.

Cierto día, cuando el sacerdote estaba cazando lejos de su finca, llegó un chimpancé y se acostó con Erelu.

Cuando vino la luna nueva, Erelu no vio la menstruación. Estaba embarazada.

La pareja estaba feliz. Y cuando el hijo nació, todos los cazadores y campesinos de los alrededores vinieron a felicitarlos. Traían leña y comida para celebrar el nacimiento del niño.

Pero al poco tiempo, el niño empezó a llorar sin consuelo. El padre, angustiado, llamó a Eleguá para que averiguara lo que le pasaba. -Este niño dice que su padre es demasiado confiado, sentenció el que abre los caminos.

El sacerdote de Ogún se arrodilló ante su esposa y le dijo: -La gente está comentando que nuestro hijo se parece a otro hombre y que ese hombre lo va a venir a buscar. Se va a llevar al niño por el que vinimos a este lugar inhóspito y por el que hemos trabajado tanto. Lo vamos a perder. ¿Qué debo contestar?

Entonces Erelu le contó a su marido cómo el chimpancé se había acostado con ella y cómo, desde ese momento, había dejado de menstruar.

-Entonces, éste es el hijo de Oro, contestó el sacerdote de Ogún. -Se ha cumplido la profecía.

El niño no volvió a llorar, y con el tiempo se convirtió en el jefe de Iseyín.

Al sitio donde el chimpancé se acostó con Erelu le pusieron el Huerto de la Cópula, y la gente llega en peregrinaje hasta allí a ofrecerle sacrificios a Oro. Se ha convertido en un lugar sagrado. Cuenta el caracol que los jefes de Iseyín reciben en él sepultura.

LA ENREDADERA ENVIDIOSA

Dice Eleguá que la yerba mala desarrolla filo cuando despunta, y el lirio, digno hijo de su madre, no tiene ramas. Los familiares conspiran en su contra, más afilados que el cuchillo con el que se corta el ñame.

La Enredadera era familia del Quimbombó, pero si el Quimbombó trataba de crecer, ella lo tapaba, no lo dejaba surgir ni ser feliz. ¿Qué podía hacer para librarse de su pariente?

Eleguá le dijo que ofreciera un sacrificio de dinero, plumas y un machete. Y el Quimbombó obedeció.

Le dio el mismo consejo a la Enredadera, que lo rechazó soberbia. -Yo puedo atajar al Quimbombó cada vez que quiera. ¿Para qué ofrecer un sacrificio?, le respondió al tentador.

Entonces Eleguá fue a hablar con los campesinos. -Fíjense en la mata de Quimbombó, les dijo. -¿No se han dado cuenta que su fruto es muy sabroso? Con este machete límpienla de maleza para que puedan alcanzar su fruto.

Los campesinos pusieron manos a la obra y a punta de machete echaron abajo a la Enredadera, que se desplomó completa.

184

El Quimbombó pudo florecer en todo su esplendor y se convirtió en el plato favorito de los campesinos, que no permitieron que la Enredadera lo volviera a asfixiar.

Así fue como el Quimbombó se liberó de su pariente, que no le volvió a hacer sombra jamás.

Dice el caracol que cuando un familiar no te quiere, le ofrezcas tu dolor a los orichas, que ellos resolverán el problema sin peleas.

Un solo rey gobierna un pueblo

EJILÁ CHEBORA (12)

EL DÍA Y EL SOL

Dice Orichaoco, dios de la fertilidad, que una montaña de cima puntiaguda jamás se destruirá.

El Día y el Sol estaban preparándose para bajar a la Tierra, y ofrecieron un sacrificio a los orichas de dinero, plumas y una vasija importada, para que otras bocas no pudieran mandarlos, y su vida fuera buena.

Cuando el Sol llegó a la Tierra, se volvió importante para la gente, que vivía pendiente de su calor y de verlo aparecer siempre con el Día.

Ambos disfrutaban mucho estar en el mundo. Nunca pensaron que su vida sería tan placentera.

Dice el caracol que no hay brazos que puedan detener al Sol, ni boca que pueda darle órdenes al Día.

CHANGÓ, REY

Dice Obatalá que sólo un hombre valiente se inicia en los misterios de Ifá. Un hombre sabio no se hace jefe. Por más afilado que esté el cuchillo, no puede tallar su propia empuñadura.

Changó quería convertirse en rey de Oyo y ofreció dinero, plumas y el traje que llevaba puesto para lograr su objetivo. Y siguiendo los consejos del astuto Eleguá, les dio una espléndida fiesta a sus familiares y amigos, con abundante comida y bebida.

Por esos días, el pueblo de Oyo se preguntaba a quién elegir como su próximo rey. -Quién mejor que la persona que nos invita a su casa a comer y beber, comentaban unos con otros. -Changó debe ser nuestro rey.

Dice el caracol que quien siembra, recoge.

EL REPRESENTANTE DE CHANGÓ

Cuenta Oyá que Changó y Batá, el tambor, eran amigos desde la infancia...

Un día, Changó le preguntó a Eleguá qué debía hacer para volverse rico. El que abre los caminos le contestó que uno de sus amigos le proporcionaría todo lo que deseaba. Y le aconsejó que le ofreciera a los orichas un tambor, dinero, plumas y 12 hachas. Cuando terminó el sacrificio, Eleguá le entregó una de las hachas, como símbolo de su poder.

Entonces, Changó le pidió a Batá que saliera a recibirlo fuera de los muros de la ciudad, y Batá salió cantando: -Hojas, ayúdenme, comer es un asunto vital. Olufina, comer es cosa de vida o muerte.

Desde ese momento, Batá se convirtió en el representante de Chango hasta el día de hoy. Si lo llaman a un pueblo, el dios del fuego va con su representante y le dice a la gente: -Traigan dinero, vestidos y pollos para la fiesta.

Dice el caracol que donde está Changó, siempre hay abundancia. Es el rey de la riqueza, dueño del tambor y de la música, que alegra la vida.

El que a buen árbol se arrima, buena sombra le cobija

IKÁ (METANLÁ) 13

HOY POR MÍ...

Dice Orula, que olvidarse de decir ésta es tu parte, molesta a los niños.

Al principio del mundo, cuando alguien dividía una herencia, no se acordaba de Babalú Ayé, señor de las enfermedades. No le daba su parte.

Babalú fue a ver a Eleguá con su queja, y el que otorga las recompensas le dijo que sacrificara 200 hojas de todos los árboles, 200 moscas y fuego.

Con esa ofrenda le preparó un ungüento mágico, con el que Babalú cubrió su güiro. Tan pronto lo tocaba, la gente se llenaba de viruelas.

Cuenta el caracol que desde ese momento, todos lo respetaron y le llevaban a sus hijos para que los curara. Su fama le dio la vuelta al mundo.

LOS DOS MÉDICOS

Dice Orula que la ensenada penetra en el mar y lo seca, como la harina de ñame, cuando se va echando en el agua caliente hasta que la absorbe toda.

Babalú Ayé, dueño del Agua Caliente y Ochún, dueña del Agua Fría, estaban preparándose para venir a la Tierra, y ofrecieron en sacrificio sus dominios, para que Oloro Dios les deparara un destino feliz.

Por eso, cuando alguien le lleva un niño con fiebre a Babalú, él lo cura sumergiéndolo en agua caliente. Y cuando se lo llevan a Ochún, con una ofrenda de corojo, ella lo hunde en agua fría, y la fiebre lo abandona.

-¡Dios ha salvado al niño!, decían en el principio del mundo. Y cuenta el caracol que desde entonces empezaron a servir a estos dos orichas que habían llegado del cielo, y continúan sirviéndolos hasta el día de hoy.

Donde mi cabeza me lleve, allí estaré yo

OTURUPÓN (MERINLÁ) 14

El Peligro de la Envidia

Dice Orula, que el amigo de hoy es el enemigo de mañana. No hay que confiar ciegamente en la amistad.

Eleguá, el que tienta a los hombres, le dijo al más viejo de los Egun que ofreciera en sacrificio su espada, para que no fuera a matar a su amigo, el Pájaro Coronado, que tenía el poder de volverse muy pequeño o muy grande.

-Pero qué dices, Elegua, contestó el Pájaro Coronado. -Tú no sabes lo que estás hablando. ¿Matarme, mi amigo?

Y ninguno de los dos ofreció el sacrificio.

Llegó el día en que el más viejo de los Egun salió con su escolta y su amigo a bailar. Pájaro Coronado bailaba frente al Muerto al ritmo de un tambor que tocaba suavemente, mientras él se encorvaba y se agachaba en su danza.

Al poco rato, el tambor empezó a decir: -Egun, ya no puedes bailar como antes. Pájaro Coronado te hace sombra. Córtale la cabeza, córtale la cabeza.

El Muerto aprovechó el momento en que su amigo se volvió a encorvar y de un tajo le cortó la cabeza, con la espada que no había querido sacrificar.

Egun mató a Pájaro Coronado y se adueñó de su cabeza. Dice el caracol que un gran bosque cubre completamente a la persona.

LOS ENEMIGOS

D ice Ochún que la tortuga entra en el monte contoneándose. Y la piel que cubre el estómago no deja ver el intestino, donde residen las intenciones.

Osain, dueño de las plantas, y Orula-Ifá, señor del futuro, los dos adivinos del rey, eran enemigos.

Cuando salía del palacio, Orula decía en voz alta, para que Osain lo oyera: -Yo soy más fuerte que ningún hechizo.

Y Osain le contestaba: -¿A quién estás tratando de engañar? Yo soy sobrenatural.

Su enemistad se volvió legendaria.

Un día, Osain retó a Orula: -Si piensas que estoy mintiendo, le dijo, -permite que nos entierren vivos a los dos durante 320 días, y que luego vengan a desenterrarnos.

El pueblo empezo a cavar los dos hoyos, porque Ifá aceptó el reto, pero enseguida fue a contarle a Eleguá en lo que se había metido.

El dueño de los trucos le dijo a su hermano que para poder regresar de ese viaje de 320 días, debía ofrecerle a los orichas dos paños blancos, dos jutías, dos chivas, dos cangrejos, plumas y mucho dinero.

-Este es un viaje sin regreso, le dijo Eleguá. -Pero tú volverás. Todos los días, tus discípulos deberán ofrecerle ñame a tu tablero de adivino, en la mañana, al mediodía y por la noche, mientras te vas y vuelves.

Eleguá le dio a Orula uno de los paños blancos del sacrificio para que se cubriera con él durante la prueba. Cuando Ifá se metió en el hoyo que le correspondía, una de las jutías que había ofrecido, entró rápidamente con él y empezó a cavar un tunel hasta que encontró la salida, sobre la cual se colocó el tablero del adivino.

Después le tocó el turno a uno de los cangrejos, que velozmente empezó a cavar hasta encontrar agua. Orula podía verla desde el banco en que estaba sentado dentro del hueco. Si sentía sed o tenía calor, podía tomar agua y refrescarse.

La jutía iba 3 veces al día por su tunel a buscar la comida que le ponían a Ifá junto a su tablero. Así sobrevivió el adivino los 320 días bajo la tierra.

Osain no había querido ofrecer ningún sacrificio. Cada día sus aprendices tocaban el gong cantando: -El dueño de las hojas del monte, el ser sobrenatural, está a punto de salir. Vigilen el camino para que lo vean regresar.

Los seguidores de Orula, por su parte, bailaban en la mañana y en la noche al son de los tambores, que decían: -Ifá, el que es más fuerte que cualquier hechizo, está a punto de salir. Fija tu vista en el camino para que veas a Orula regresar.

A los 320 días, sus discípulos empezaron a desenterrarlo con un azadón. -¡Cuidado con ensuciarme la ropa!, gritó Orula, saltando victorioso fuera del hoyo.

Luego se dirigieron a la tumba de Osain, pero todo lo que encontraron allí fueron las varillas de hierro y los alambres que él usaba para plantar, sus jarras y tinajas. Su cuerpo estaba completamente descompuesto.

Los seguidores de Osain lloraban sin consuelo, pero Orula les dijo: -No lloren. Tráiganme un güiro, una rama y dos pájaros. Con este güiro ustedes llamarán a Osain y él les contestará. Pero nunca más quiero que lo convoquen tocando el gong. De ahora en adelante, su gong será mío.

Dice el caracol que Ifá no es más fuerte que cualquier hechizo; el sacrificio es el que sobrepasa cualquier prueba.

GLOSARIO

Agayú: Dios de los volcanes, de las entrañas de la tierra, padre de Changó.

Changó/Olufina: Dios del fuego, el trueno, la música y el tambor.

Egun El muerto.

Eleguá:El mensajero de los dioses, el que abre y cierra los camimos, el tentador, dios de las bromas, travieso y enredador.

Ibeyis: Los mellizos, dioses de la fortuna y la buena suerte.

Obatalá/Babá: Padre de los dioses, dios de la paz, la justicia y la pureza, creador de los hombres y dueño de sus cabezas.

Ochosi: Dios guerrero, cazador, médico y adivino, protector de la justicia.

Ochún/ Yeye Cari/ Iyalorde: Diosa del amor, la belleza y el dinero, dueña de las aguas dulces.

Ogún: Dios de la guerra, dueño de los metales, ls armas y el progreso.

Oke: La montaña, mensajera de Obatalá.

Olocun: Dios/diosa del mar profundo, de los misterios y la estabilidad.

Olodumare/ Oloro/ Olofi: Dios todopoderoso, creador del Universo.

Orichaoco: Dios de la fecundidad, la agricultura y las cosechas, dueño de la tierra.

Oro: Según Lydia Cabrera (*Anagó*, p. 275) "Un orisha (que) viene cuando se llama el Egu (a los muertos}".

Orula/Ifá: Adivino mayor de la religión yoruba, padre del tiempo, conocedor del porvenir.

Osain: Dios del monte y la vegetación, conoce el secreto de las yerbas medicinales.

Osun: Dios que representa la cabeza de la persona.

Oyá/Yansán: Diosa guerrera, dueña de la puerta del cementerio, los vientos y la centella.

Yemayá: Diosa del mar, madre de todos los orichas y protectora de las familias.

INDICE

210

COLECCIÓN ÉBANO Y CANELA:
(Libros de temas afroamericanos)

OTROS LIBROS DE TEMAS AFROAMERICANOS:

007-0   POESÍA NEGRA DEL CARIBE,
        Hortensia Ruiz del Vizo
008-9   BLACK POETRY OF THE AMERICAS,
        Hortensia Ruiz del Vizo
104   LA RELIGIÓN AFROCUBANA,
        Mercedes Sandoval
106-9   LA OBRA POÉTICA DE EMILIO BALLAGAS, Rogelio de la Torre
153-0   LA POESÍA NEGRA DE JOSÉ SÁNCHEZ-BOUDY,
        René León
243-X   LOS ESCLAVOS Y LA VIRGEN DEL COBRE,
        Leví Marrero
0715-X HISTORIA DE UNA PELEA CUBANA CONTRA LOS DEMONIOS,
        Fernando Ortiz

COLECCIÓN DEL CHICHEREKÚ
(OBRAS DE LYDIA CABRERA):

COLECCIÓN CLÁSICOS CUBANOS: